La memoria

1252

DELLO STESSO AUTORE

La stagione della caccia
Il birraio di Preston
Un filo di fumo
La bolla di componenda
La strage dimenticata
Il gioco della mosca
La concessione del telefono
Il corso delle cose
Il re di Girgenti
La presa di Macallè
Provo di titolo
Le pecore e il pastore
Maruzza Musumeci
Il casellante
Il sonaglio
La rizzagliata
Il nipote del Negus
Gran Circo Taddei e altre storie di Vigàta
La setta degli angeli
La Regina di Pomerania e altre storie di Vigàta
La rivoluzione della luna
La banda Sacco
Inseguendo un'ombra
Il quadro delle meraviglie
Le vichinghe volanti e altre storie d'amore a Vigàta
La cappella di famiglia e altre storie di Vigàta
La mossa del cavallo
La scomparsa di Patò
Conversazione su Tiresia
Autodifesa di Caino
La Pensione Eva

Andrea Camilleri

La guerra privata di Samuele

e altre storie di Vigàta

Sellerio editore
Palermo

e-mail: info@sellerio.it
www.sellerio.it

Questo volume è stato stampato su carta Arena Ivory Smooth prodotta dalle Cartiere Fedrigoni con materie prime provenienti da gestione forestale sostenibile.

Camilleri, Andrea <1925-2019>

La guerra privata di Samuele e altre storie di Vigàta / Andrea Camilleri. - Palermo: Sellerio, 2022.
(La memoria ; 1252)
EAN 978-88-389-4486-4
852.914 CDD-23 SBN Pal0358140

CIP - *Biblioteca centrale della Regione siciliana «Alberto Bombace»*

La guerra privata di Samuele
e altre storie di Vigàta

La prova

Uno

Nenè Scozzari, abitanno a Vigàta, per annare al liceo che c'era sulo a Montelusa, doviva pigliari la correra che sinni partiva alle setti del matino e tornarisinni con quella delle dù di doppopranzo. Ma quanno la guerra nella secunna mità del milli e novicento e quarantadù 'ncaniò e non passava jorno (e notti) che i rioplani miricani e 'nglisi bummardavano e mitragliavano, viaggiare addivintò periglioso assà pirchì i nimici sparavano supra a ogni cosa che vidivano cataminare e tante vote i passiggeri della correra si vinniro ad attrovari sutta mitragliamento e qualichiduno ci lassò macari la pelli. Perciò i genitori di Nenè parlarono a 'na parenti di Montelusa e quella si pigliò 'n casa il picciotteddro che ora friquintava la terza. Nenè sarebbi tornato a Vigàta sulo il sabato doppopranzo e sarebbi ripartuto per Montelusa la duminica sira con l'urtima correra, quella delle novi. Accussì i sò viaggi, e i conseguenti perigli, si sarebbiro arriduciuti assà.

Nella terza B, che era la classi di Nenè, c'era 'na cumpagna, Gina, che gli faciva sangue. E forsi macari lui doviva piaciri a Gina pirchì quanno i loro occhi s'incontravano per caso, facivano 'na certa fatica a lassarisi e a taliare da un'altra parti. Ma Nenè era timito e non attrovava un modo qualisisiasi per dirle quello che provava.

Un jorno che Gina volli pristato il vocabolario latino e Nenè glielo passò, le loro mano si sfioraro. Provaro tutti e dù 'na speci di scossa come se avivano toccato un filo della luci lettrica. Si taliaro, si sorridero. E si svolgì tra loro dù un dialogo sirrato e tutto a vascia voci:

«Nni videmo?».

«Sì» disse lei.

«Unni?»

«Alla villa comunali».

«Sì, ma indove?».

«Tu aspettami vicino alla funtana».

«Quanno?».

«Alle cinco pricise».

A tavola, non arriniscì a mangiari nenti. E quanno annò nella sò càmmara per fari qualichi compito, i righi delle pagine parivano vermi che s'arrutuliavano. Troppo 'mozionato, era. Allura lassò perdiri ogni cosa, si spogliò nudo e si fici 'na lavata che erano anni. Per i capilli, spardò mezza scatola di brillantina Linetti.

Mentri che s'addiriggiva verso la funtana, Nenè pinsò che Gina non aviva scigliuto un posto bono per l'appuntamento. Quello era un loco assà friquintato, dato che la funtana s'attrovava 'n mezzo a uno spiazzo tutto circonnato di panchine che erano sempri squasi tutte accupate da cammarere, sordati, picciliddri, pinsionati, studenti. E 'nfatti, quanno arrivò, gli parse d'attrovarisi al ginematò al sabato sira, nelle panchine non c'era un posto libbiro. S'assittò supra al bordo della vasca 'n mezzo alla quali c'era la funtana. Stava disagiato pirchì aviva la 'mpressioni che tutti lo stavano a taliare addimannannosi con quali picciotta si sarebbi 'ncontrato. Doppo cinco minuti che aspittava, un vecchio si susì dalla panchina che stava propio davanti a lui e, passannogli vicino, arridì sdintato:

«Stai aspittanno ammatula, non veni».

E nel momento che aviva addeciso di ghirisinni, la vitti. Gina stava addritta al margine di 'na speci di boschetto che era distanti 'na vintina di metri e gli faciva 'nzinga di annare da lei.

Quanno le fu allato, notò ch'era russa 'n facci:

«È da un quarto d'ura che ti fazzo signali e tu non isi l'occhi a taliare!».

Era arraggiata.

«Io non pinsavo che...».

«Dai, camina, non pirdemo ancora tempo. Mi resta sì e no 'na mezzorata».

’Nfatti non pirdero tempo. Passaro la mezz’ora con le labbra ’ncoddrate. Po’ Gina disse:

«Devo annare. Dumani alle cinco ccà, vabbeni?».

Accussì fu subbito chiaro chi era che addecidiva.

Doppo ’na simanata, Gina, al momento di salutarisi, disse:

«Io accussì non pozzo annare avanti».

Nenè si sintì moriri il cori. Voliva lassarlo? Non ebbi il tempo di spiarglielo che Gina prosecuì:

«Tu sabato che veni per forza ci devi annare a Vigàta?».

«Per forza, no».

«Allura avvertili che forsi non ci vai».

«Pirchì?».

Non gli arrispunnì e sinni annò. Il vinniridì doppopranzo, sempri al momento di salutarisi, Gina gli spiò se aviva avvirtuto a sò patre e a sò matre a Vigàta. Nenè arrispunnì di sì. Allura la picciotta gli fici sapiri che all’indomani, sabato, si sarebbiro potuti vidiri nella sò casa, pirchì i genitori dovivano annare in una campagna che avivano a Raccadali.

«Ti va beni alli quattro? Ti spiego indove abito».

Stettiro a fari l’amuri dalli quattro alli otto.

«Domani veni a mangiare ccà. Cucino io» disse Gina vasannolo prima di chiuirigli la porta alle spalli. «Tanto i miei tornano duminica notti tardo».

Per tutta la notti Nenè non arriniscì a pigliare sonno al pinsero di quello che era capitato e che sarebbi continuato a capitare. L'indomani a matino contò alla parenti che annava a studiare 'n casa di un compagno che l'aviva 'nvitato a pranzo. Prima di annare 'n casa di Gina, accattò sei cannoli. Appena che arrivò, Gina lo vasò e lo fici accomidare nella càmmara da pranzo mentri lei sinni tornava 'n cucina.

Nenè notò subbito che la tavola era conzata per tri posti. Strammò. Po' si fici pirsuaso che Gina aviva 'nvitato a Gemma, che era la sò amica del cori. La radio era addrumata e stava in quel momento trasmittenno il bollettino di guerra. Per quanto sciglivano bono le paroli, era chiaro che le cose annavano male.

Po' Gina portò 'n tavola i spachetti col suco, annò in corridoio. Nenè la sintì tuppiare a 'na porta e diri:

«Lollo, pronto è».

Di colpo, s'attrovò assammarato di sudori friddo. Lollo sò frati era! Di sicuro sarebbi finuta a schifìo! Potiva un frati suppurtari che la soro se la faciva con un picciotto sutta ai sò occhi? Non era concepibbili! 'Ntanto Gina si era assittata a tavola.

«Ho pregato Lollo di restare a casa per evitare che i vicini possano...».

«Ciao, Nenè» fici Lollo trasenno e assittannosi.

«Ciao» arriniscì a diri Nenè con la gola sicca.

Si erano accanosciuti qualichi tempo prima all'adunata fascista del sabato e quanno s'incontravano si scangiavano qualichi parola. Lollo era cchiù granni di un anno di sò soro ed era 'scritto a 'ngigneria all'università di Palermo. Ma ora la cosa era diversa.

Nenè era troppo nirbùso, troppo a disagio per potiri gustari la pasta che era cucinata bona.

'Na dimanna l'assillava: che doviva fari quanno avivano finuto di mangiari? Ringraziari, salutari e ghirisinni? Aviva 'mmagginato un doppopranzo come a quello del jorno avanti, anzi, meglio del jorno avanti pirchì gli era vinuto 'n testa di spirimentari 'na poco di cose con Gina, e 'nveci sinni sarebbi dovuto tornari a la casa a vucca asciutta.

Per secunno, Gina sirvì triglie fritte che va' a sapiri come era arrinisciuta a procurarsele.

Alla finuta del mangiari, Nenè si fici pirsuaso che era vinuta l'ura di lassare quella casa. Si susì.

«Il bagno è 'n funno al corridoio» disse Gina.

'Ngiarmato, ci annò. Tornò. E quanno ritrasì nella càmmara di mangiari, Lollo non c'era.

«Lollo ti saluta» fici Gina. «Ma deve studiare epperciò...».

«È nisciuto?».

«No, è in càmmara sò».

Non c'erano cchiù spranze. 'Na bella occasioni persa.

«Noi quanno nni videmo?» le spiò.

Gina lo taliò sorprisa.

«Hai 'mpegni?».

«No, ma...».

«E allura pirchì te ne vuoi ghiri? Ora noi ce ne annamo nella mè càmmara e ci stamo fino a stasira».

A mità del doppopranzo Nenè fici 'na sula dimanna che arriguardava a Lollo.

«Ma tò frati non è giluso di tia?».

Gina lo taliò 'mparpagliata.

«No. Pirchì dovrebbi esserlo?».

Lui cangiò discurso.

Nenè arrinisci a stari con Gina ancora un sabato e 'na duminica prima che finiva la scola, sempri prisenti Lollo. Po' la scola finì e non ci foro l'esami di maturità pirchì i 'nglisi e i miricani avivano pigliato a Lampidusa e i loro aeroplani arrivavano a bummardare in un vidiri e svidiri, la sirena d'allarmi manco aviva tempo di sonare. Allura la famiglia di Gina e Lollo si trasfirì a Raccadali, mentri quella di Nenè sinni annò a Serradifalco, nella villa di 'na luntana parenti.

Nenè e Gina si salutaro chiangenno, giurannosi amuri eterno e ripromettennosi di ritrovarisi appena che le cose si mittivano meglio.

Nenè arrinisciì a tornare a Vigàta quattro misi appresso, che già i miricani era da un misi che avivano pigliato Vigàta e Montelusa. Il jorno doppo essiri arrivato, che era un sabato, finuto di mangiare, pigliò la correra e sinni acchianò a Montelusa. Voliva sapiri se Gina s'attrovava ancora a Raccadali.

Per tutti e quattro i misi che erano stati lontani, Nenè aviva scrivuto a Gina 'na littra a simana, ma mai aviva ricevuto risposta. Non dava la corpa a lei, giustamenti pinsava che sutta a quella chiovuta di bumme difficili che la posta arrivava.

Già prima di tuppiare alla porta, sintì viniri dall'interno la musica del bughi-vughi. Si ralligrò, viniva a diri che Gina era tornata. Gli vinni a raprire Lollo. S'abbrazzaro, commossi. Po' Lollo lo fici trasire nella càmmara di mangiari e livò il disco dal radiogrammofono.

«Gina c'è?».

«No. È ristata a Raccadali. Tornai sulo io».

«E lo sai quanno...».

«Non ti saccio diri nenti. D'altra parti, che venno a fari ccà? Papà travagliava alla federazioni fascista epperciò ha perso il posto, forsi trova qualichi cosa da fari al municipio di Raccadali».

«Senti, glielo puoi fari sapiri a Gina che sono tornato?».

«Certo, ma...».

«Ma?».

«Non credo che le sarà facili viniri».

«Pirchì?».

«Dovrebbi trovare 'na scusa bona per convinciri a papà. Che motivo havi di viniri ccà? Havi 'ntinzioni, appena che l'università di Palermo riapri, di scrivirisi a lettere».

«Ma io voglio vidirla!».

«Io non ci pozzo fari nenti. Talè, pozzo aiutariti accussì. Io lunidì devo annare a Raccadali. Le dico che sei tornato. Tu veni ccà mircoledì matina e t'arriferiscio quello che mi disse. Vabbeni?».

Non aviva altra strata.

«Sì. Senti, sai se arricivì le mè littre?».

Lollo si misi a ridiri.

«L'hanno portate tutte 'nzemmula deci jorni fa. Un pacco di 'na vintina di centilimetri. Le ho date a Gina».

Ecco pirchì non gli aviva arrispunnuto! Non aviva mai arricivuto manco una delle sò littre.

«Vabbeni. Grazie di tutto. Nni videmo mircoledì».

Lollo l'accompagnò alla porta.

E nell'anticàmmara Nenè notò 'na cosa che non aviva viduta trasenno. Supra a 'na seggia ci stava, aperta, la vurzetta che Gina si portava sempri appresso, non la lassava mai, per nisciuna raggiuni. In un lampo, mentri 'na fitta di dolori gli spaccava il cori, accapì che non sulo Gina era tornata, ma che sinni stava nella sò càmmara con un altro.

S'appostò dintra all'ingresso d'un palazzo sdirrupato dai bummardamenti e ristò quattro ori addritta a sorvegliari il portoni della casa indove abitava Gina. Non pinsava a nenti, dintra alla testa aviva sulo 'na forti risaccata di mari.

Alli setti e mezza di sira, vitti nesciri a Lollo con un sordato miricano, un beddro picciotto vintino.

Due

La dispirazioni di Nenè fu granni. Sinni tornò a Vigàta, si corcò e sinni stetti tri jorni e tri notti stinnicchiato dintra al letto, senza mangiari.

Ogni tanto si susiva, annava in bagno, si viviva un bicchieri d'acqua e tornava a corcarisi. Non liggiva, non sintiva la radio, stava a panza all'aria a taliare il soffitto.

Sò matre, prioccupata, al terzo jorno acchiamò il medico.

Nenè non protestò, si fici visitari abbannonannosi nelle mani del dottori priciso 'ntifico a un pupo coi fili e arrispunnenno alle sò dimanne con difficortà.

«Ti fa male qua?».

«Uhm».

«Sì o no?».

«No».

«Non è malato» disse alla fini il medico alla matre tirannola sparte.

«E allura pirchì fa accussì?».

Al medico era già capitato di visitare picciotteddri con gli stissi sintomi.

«Secunno mia, è 'na botta d'amuri. Fatelo sbariari».

Nenè aviva tri amici, Ciccio, Fofò e Matteo, e tre amiche, Lina, Susina e Michela, che era 'na sò lontana cuscina. Facivano gite 'nzemmula e spisso nel doppopranzo davano la corda al grammofono e abballavano.

La matre di Nenè, per farlo sbariari come aviva ditto il medico, accomenzò a fari viniri 'n casa l'amici.

E un jorno mentri tutti sinni stavano a sintiri la musica miricana dalla radio, la porta si raprì e trasì, completamenti inaspettato, Lollo.

Nenè fici un sàvuto dalla seggia supra alla quali stava assittato mutanghero e ammalincunuto, gli annò incontro, l'affirrò per un vrazzo, se lo strascinò 'n corridoio.

«Ti mannò Gina?».

«Scordatilla a mè soro, è meglio».

«Allora che sei vinuto a fari?».

«A trovariti, volivo sapiri come stavi».

Nenè gli fu grato di quella speci di gesto d'amicizia.

E lo prisintò all'amici. Da quel momento, Lollo addivintò l'ottavo della ghenga.

E alla quarta volta che Lollo scinnì per stare con l'amici vigatisi, fu chiaro a tutti che aviva perso la testa per Susina Lavafiori, il cui vero nomi era Assunta.

Susina era beddra di natura sò ed era l'unica delle picciotte della ghenga che si truccava arrinniscenno a pariri ancora cchiù beddra. Occhi granni, scuri e funnuti e 'na vucca! 'Na vucca che appena che la vidivi ti pigliava 'na gana irrefrenabili di passari la lingua adascio adascio supra a quelle labbra sempri russe e come gonfie e liccarle come un gilato.

Macari Nenè se l'era insognata, quella vucca, ma aviva cancillato il sogno pirchì nella ghenga non doviva essirici altro che amicizia.

Che Lollo non rispittasse la regola, gli vinni pirmisso dato che era l'urtimo arrivato. E a Susina non ci fu dubbio che il picciotto piaciva assà.

Allora tutto il gruppo si fici complice dei dù 'nnamorati. Nenè stisso, aiutanno a Lollo, squasi finiva di scordarisi di Gina.

Quanno si facivano 'na passiata in campagna, lassavano che Lollo e Susina s'infrattassero per poi ricomparire 'n mezzo a loro, russi 'n facci e con le gamme trimolianti come se erano 'mbriachi. E se stavano abballanno, non sulo facivano finta di non vidiri che i dù annavano a finiri nella càmmara allato, ma anzi chiuivano la porta.

Doppo otto misi, Lollo, accompagnato da sò patre Giuliano, annò 'n casa dell'ingigneri capo del municipio Domenico Lavafiori, patre di Susina, per farisi zito ufficiale.

Con lui Lollo volle portarisi appresso a Nenè che, macari se indirettamente, era stato la causa dello zitaggio.

Lo quali zitaggio obbligò a Lollo e a Susina a dovirisi regolare secunno quanto la costumanza stabiliva. Sarebbi a dire che: non potivano cchiù fari parte della ghenga, non si potivano cchiù 'ncontrari senza che fossi prisenti Agatino, frati di otto anni di Susina e spia nata, che Lollo potiva annare a trovare a Susina nella sò casa il martidì, il jovidì e il sabbato doppopranzo ma in prisenza della matre di lei Giovanna, che la dominica sira potivano passiare nel corso a braccetto seguiti però a dù passi di distanzia dall'ingigneri, da sò mogliere e da Agatino.

Certe volte potiva capitare che Agatino, corrompibile con una somma variabile dalle cento alle ducento liri, sinni annava al ginematò e appresso un dù orate, tornava a 'ncontrarisi con gli ziti in un posto stabilito. Doppo, quanno s'arricampava a la casa, diciva alla matre di aviri sempri tinuto d'occhio la coppia.

Nenè si dispiacì certamenti di non vidiri cchiù a Lollo, ma in funno era meglio accussì, gli arricordava troppo Gina. Dispiaciri vero e propio 'nvece lo provò per la mancanza di Susina che era, fra le tri, quella che aviva cchiù confidenza con lui.

Fino al punto di contargli cose che non avrebbi ditto all'amiche.

Come il fatto dell'avvocato Tirinnanzi, amico del patre, che una volta l'aviva aggarrata in un corridoio, l'aviva vasata e mentri che la vasava le aviva 'nfilato 'na mano sutta alla gonna.

«E tu che hai fatto?».

«Nenti».

«E pirchì?».

«Pinsai che chiossà di tanto non potiva fari, non c'era tempo. E mi pigliai di curiosità».

E quell'altra volta che, annata a ripetizioni di latino 'n casa del profissori Stompanato, questi l'aviva arricivuta 'n vistaglia. E siccome che faciva lezione passianno, ogni tanto si cataminava 'n modo che la vistaglia gli si rapriva e, siccome che non portava mutanne, le mittiva in mostra tutto l'armamintario.

«E tu?».

«Io, quanno capii che lo faciva apposta, glielo taliai bono bono e po' fici 'na smorfia come a maravigliarimi di quant'era nico».

Nenè di 'ste cunfidenze era a un tempo contento e scontento. Contento per il privilegio che la picciotta gli concidiva e scontento pirchì Susina, accussì facenno, non lo trattava come un omo.

Un vinniridì matina, mentri stava annanno al

cafè, si sintì chiamari. Era Susina che nisciva dal nigozio del parrucchiere.

Dato che tutto il paìsi sapiva che loro dù erano amici e inoltre che era stato lui a provocare lo zitaggio e che di sicuro sarebbi stato il testimonio di Lollo al matrimonio, potivano libberamenti parlarisi senza che nisciuno sparlasse.

«Nenè, me la potresti 'mpristari la chiavi della casa di San Girlanno?».

Era la villetta di campagna della matre di Nenè, in località San Girlanno, un chilometro appena fora paìsi.

La ghenga ci era annata spisso per una scampagnata o per abballari.

«Certo».

«Ma non lo dovresti diri né a tò patre né a tò matre».

«Vabbeni».

«M'abbisogna dopodomani doppopranzo. Abbasta che tu in matinata la dai a Lollo e la sira stissa te la riconsegna. Ci costa cincocento liri per quel cornuto di mè frati Agatino».

Era inutili spiarle altro. E fici come lei gli aviva addimannato di fari.

'Na simanata doppo, Lollo vinni a trovari a Nenè.

«Dice accussì Susina se ci puoi ripristari la chiavi».

«Ci aviti pigliato gusto, eh?».

Lollo non arrispunnì.

La sira stissa gli riportò la chiavi. Però, 'nveci di essiri contento, aviva 'na facci da dù novembriro.

«Ti sciarriasti con Susina?».

«Lassami perdiri. Dispirato sugno».

«Ma pirchì? Che capitò?».

«Che capitò? Che Susina è 'na cretina che non voli capire le cose!».

«E che devi accapiri?».

«Lassami perdere, ti dissi!».

E sinni niscì. Nenè si fici pirsuaso che si trattava della solita sciarriatina tra ziti, stavolta macari tanticchia cchiù seria. Ma si sbagliava.

'Nfatti, la dominica che vinni, Lollo e Susina non si ficiro la passiata sirale al corso.

E l'indomani Ciccio arrivò da Nenè col sciato grosso.

«Lollo e Susina si spartero! Non sunno cchiù ziti!».

'Na rottura di zitaggio non è cosa da pigliarisi alla liggera.

Addiventa difficili assà, per una picciotta che è stata già zita, attrovare un secunno zito.

La raggiuni è semprici: nisciuno sa fino a che punto è arrivata la naturali esplorazioni dello zito nel, diciamo accussì, territorio della zita. E un territorio esplorato, macari sulo in parte, non si può cchiù chiamarlo vergini. Fila il raggiunamento?

Perciò, in questi casi, la meglio è circare di arrivari alla sustanzia del probbrema che ha provocato la rottura e vidiri d'arrisolvirlo in modo che lo zitaggio possa ripigliare come prima.

Fu accussì che Nenè, un jorno che la signura Giovanna con la figlia era vinuta a fari visita a sò matre, con la scusa di leggirle 'na poesia, si portò a Susina nella sò càmmara.

La picciotta era cchiù beddra del solito, la rottura dello zitaggio non pariva averla addulorata cchiù di tanto.

«Mi vuoi dire che successe? Forsi posso essiriti d'aiuto».

«Ti ci metti macari tu, ora? Tutto il jorno mè patre e mè matre mi spiano che successe tra mia e Lollo e io non glielo voglio diri».

«Ma io non sugno né tò patre né tò matre».

«Io a Lollo gli voglio beni assà, tu non sai quanto».

«E allura?».

«E allura doppo misi e misi di vasa, tocca, carizza, stringi, afferra, alliscia, abbrazza, io non ne potti cchiù, ero arrivata al punto di cottura e ti spiai la chiavi».

«E io te la detti. Embè?».

«Quanno ci stinnicchiammo supra al letto, lui ripigliò. Vasa, tocca, carizza, stringi, alliscia... Ma quanno io, non arrisistenno cchiù, mi livai la cammisetta, lui si firmò».

«Pirchì?».

«Quella volta trovò 'na scusa. Disse che non potiva stari a longo, doviva assolutamenti tornari a Montelusa».

«Ma io la chiavi ve la detti una secunna volta».

«E fu pejo della prima! Stavolta io mi misi nuda e lo pirsuasi a mittirisi nudo macari lui. Ma quanno l'abbrazzai, m'addunai subito che non era cosa».

«In che senso, scusa?».

«Mi addunai che tutto 'nzemmula, gli era passata la gana, capisci?».

«E come mai?».

«Vallo a spiare a lui! Allura io gli dissi che o facevamo l'amuri o rompivo lo zitaggio».

«E lui?».

«Non disse nenti. Si susì, si rivistì, io fici l'istisso e nni semo lassati senza manco salutarici».

«Scusa, ma tu con tutta 'st'urgenza, capace che l'hai mittuto in difficortà. Non potivi annarici cchiù a lento?».

«Nenè, lo fici apposta».

«E pirchì?».

«Pirchì era da tempo che io avivo un sospetto».

«E cioè?».

«Che Lollo non funziona giusto. È tutto a posto fino a quanno si tratta di abbrazzari, vasare, toccare, ma quanno arriva al momento, non ce la fa. Deve essiri 'na forma d'impotenza».

«Ma che ti veni 'n testa? Vuoi che ci parli io a Lollo?».

«Tu non sai quanto te ne sarei grata».

Si calò, posò a leggio le sò labbra supra a quelle di Nenè. Ci ristò tanticchia chiossà di quanto Nenè s'aspittava. Che viniva a diri? Che se arrinisciva a ricomporre lo zitaggio, la gratitudine di Susina potiva pigliare 'na forma cchiù sustanziosa?

Tre

Quel doppopranzo stisso sinni partì con la correra per Montelusa. Tuppiò alla porta di Lollo sintennosi tranquillo, pirchì sapiva che Gina si era stabilita a Palermo per studiare all'università. E che aviva un novo zito palermitano.

Lollo aviva i calamari sutta all'occhi, la varba longa e pariva un catafero ambulante.

«Che sei vinuto a fari?».

Nenè aviva addeciso di non dirgli manco 'na parola di quello che gli aviva contato Susina, la troppa confidenzia tra loro dù avrebbi potuto 'ngilosirlo.

«Allura, Lollo, mi spieghi che capitò?».

Lollo non si fici prigari e glielo spiegò.

In primisi, essenno che era un picciotto scrivuto all'Azione Cattolica, cridenti e praticanti, non era mai stato con una fìmmina. Certo, ogni tanto sintiva desiderio, ma arrinisciva a tinirisi. E 'sto punto d'onori l'aviva mantinuto macari con Susina, a costo di rompiri lo zitaggio.

In secunnisi, lui, contrariamenti a sò soro Gina, era 'na pirsona seria.

Cridiva nel sacramento del matrimonio e pinsava che era doviri degli ziti quello d'arrivari vergini all'artaro.

E, gli nicissitava arripetirlo, se lui aviva fatto certe cose con Susina era pirchì l'aviva voluto lei, e la carni era debboli, masannò, se stava a lui, il massimo contatto sarebbi stato la mano nella mano e 'na vasata sulla guancia al momento di salutarisi.

Tutto qua.

Ma come fari accapiri alla genti questo sò modo di pinsari se manco Susina lo voliva accapiri?

'Nveci Nenè l'accapì.

E addecise che avrebbi aiutato a Lollo in qualichi manera, macari se ancora non sapiva quali.

Dù jorni appresso a Nenè lo mannò a chiamari nel sò ufficio l'ingigneri Cosimo Lavafiori.

«Chiudi la porta a chiave e assettati».

Nenè bidì.

«È venuto a trovarmi il patre di Lollo. Dice che abbisogna trovare 'na soluzioni pirchì sò figlio è dispirato».

«Vero è. E Susina macari lei dispirata è?» spiò Nenè che gli era vinuta gana di babbiare.

«Susina è 'na picciotta forti. Il problema è che mè figlia si è finalmenti addecisa a dirmi il motivo per cui si è lassata con Lollo».

«E cioè?» spiò Nenè facenno finta di non sapiri nenti.

«Beh, che la cosa rimanga tra me e te, mè figlia s'è fatta pirsuasa che Lollo è un mezzo 'mpotenti».

«E Susina come fa a sapirlo? Lo spirimintò?» spiò ancora Nenè, che si stava addivirtenno, circanno di non mettiri malizia nella dimanna.

«No, certo. Ma che dici? Però quanno abballano stritti stritti, e sarebbe naturale che lui... lui inveci non... 'nzumma, lei... non lo sente. Mi spiegai?».

«Si spiegò. E allura?».

«Forsi bisognerebbe fargli fare 'na prova» disse l'ingigneri.

Nenè strammò.

«'Na prova? E quali?».

«Fici 'na pinsata».

«Me la dicisse».

«Pinsai di portarlo al casino».

Nenè arrussicò. Parlari di casino con un omo granni, che potiva essiri sò patre, l'impacciò. E accapì che macari all'ingigneri il discurso non piaciva, ma doviva farlo pirchì la situazioni era quella che era.

«E lei, per controllare, sinni va in camera con lui e la buttana?» spiò sbalorduto.

«No, questo no. Io resto fora ad aspittare. Se appresso la fìmmina m'arrifirisce che Lollo funzionò, lo zitaggio può riprendere».

Nenè si sintiva pigliato dai turchi.

«Scusasse, ma io che ci traso?».

«Tu dovresti convinciri a Lollo a fari 'sta prova».

Avanti di parlari con Lollo, Nenè addecise che era meglio se prima viniva a sapiri come se la pinsava Susina.

Approfittò della visita settimanali a sò matre della signura Giovanna con la figlia e arriniscì con una scusa a portarisi novamenti la picciotta nella sò càmmara.

«L'altro jorno mi chiamò tò patre e...».

«So tutto».

«E tu sei d'accordo?».

Susina sorridì, l'occhi le sbrilluccicarono. Maria, quant'era beddra! Nenè si tinni a malappena d'abbrazzarla.

Gli stava capitanno 'na cosa stramma: fino a quanno Susina aviva fatto parti della ghenga, lui era sempri arrinisciuto a tinirisi a freno, ma da quanno si era fatta zita con Lollo la vidiva non cchiù come 'na compagna, ma come la disiderabbili beddra picciotta che era.

E la confidenzia tra loro dù Susina la stava voltanno in una complicità maliziusa, forsi signo che macari lei si era addunata del cangiato atteggiamento dell'amico. E ci mittiva il carrico da unnici. Del resto, civetta Susina lo era sempri stata.

«Gliela detti io a papà 'st'idea».

«Tu?!» sbalordì Nenè.

«Che c'è da meravigliarisi? Se a Lollo vidirimi nuda lo blocca, non crido che gli capiterà lo stisso con una buttana, ti pare?».

«E tu pensi che io arrinescio a convincerlo a fari 'na cosa simili?».

Susina si susì dalla seggia e annò ad assittarisi nel letto vicina vicina a Nenè. Gli posò 'na mano supra al ghinocchio, gli accostò la vucca all'orecchio e gli disse a voci vascia vascia:

«Tu ci arrinescirai, Nenè, ne sugno certa. E ce la metterai tutta pirchì tu lo sai il pirchì. Mi capisti?».

Tirò fora la punta della lingua e gli detti 'na liccatina da gatta nel lobo.

Per Nenè fu come pigliare la scossa elettrica. Il trimulizzo che gli percorse tutto il corpo fu accussì evidenti che Susina si misi a ridiri.

«No! No! E no!» disse arrisoluto Lollo. «A casino con quel maiale del mio futuro sociro non ci vajo! E mi meraviglio che gli possa viniri 'n testa 'na proposta simili!».

Nenè pinsò che era meglio non dirigli che la proposta era vinuta 'n testa propio a Susina.

«E non ci vajo manco da sulo» continuò Lollo. «Io la mia verginità la voglio conservare per...».

«Lo saccio, lo saccio» l'interrompì Nenè che di quella facenna della virginità da perdere nel sacro talamo si stava abbuttanno i cabasisi a forza di sintirla ripetiri.

Figurati che risate se alla prima notti di nozzi Lollo sarebbi arrisultato vergini e Susina no!

Il pinsero lo fici sorridiri.

«Che ci trovi di divertente?» gli spiò Lollo arraggiato.

Nenè 'mprovisò 'na risposta.

«Stavo riflettendo su come aggirare l'ostacolo e...».

«Forza, parla!».

«... e mi è vinuta un'idea».

Gli era vinuta proprio mentri diciva la frasi.

«Cioè?».

«Ti faccio 'na dimanna. E pensaci bono prima di darimi la risposta. Tu saresti d'accordo ad annare in camera con la buttana, stare con lei un quarto d'ora e po' nesciri fora?».

«Senza avirla toccata?».

«Certamenti».

Lollo passiò càmmara càmmara, annò alla finestra, tornò, s'assittò, si susì. Si rimisi a caminare. Po' finalmenti parlò.

«Senti, Nenè, io in quel posto non vorrei trasirci per tutto l'oro del munno. Ma per Susina, questo sacrificio sono disposto a farlo».

Va' a sapiri pirchì, con quella frasi Lollo di colpo arrisultò 'ntipatico a Nenè. E figurati che gran sacrificio che faciva! Lollo peggiorò la situazioni.

«Potrò tenere l'occhi chiusi mentri sto con quella fìmmina?».

Nenè accomenzò a pinsari che le corna che Susina gli avrebbi di certo prima o po' mittuto se le miritava.

«Potrai portarti il rosario, 'nginocchiarti e prigare».

Ma a Lollo vinni un dubbio.

«Però se la fìmmina dici all'ingigneri che io con lei non ho...».

«Tu di questo non ti devi apprioccupari. Ce l'hai cento liri da darle quanno stai con lei?».

«Sì. Ma costa tanto?».

«In questo caso, sì. È 'na facenna spiciale. Dagliele appena che trasi in camera con lei, mi raccomanno».

A casino ci si potiva annare quanno si facivano diciott'anni. La latata maschili della ghenga aviva festeggiato la maturità con una sirata con le buttane propio 'na misata avanti. Ognuno di loro si era fatta la mezz'ora, che viniva a costari quinnici liri a testa, 'na bella cifra.

Quella sira stissa, che cadiva di vinniridì, Nenè annò al casino, stetti in salotto a taliare tutte le fìmmine a disposizioni, sciglì la cchiù civili e picciotta, Nives, e annò in camera con lei.

«Beh? Non ti decidi?» fici Nives videnno che Nenè sinni ristava fermo allato al letto.

«Ti devo fare una proposta».

«Sentiamo» disse lei.

Nenè gliela disse.

«Ho capito. Dovrei dire a un signore che un ragazzo che è stato con me senza fare niente invece è un toro. È così?».

«Sì».

«E a me che me ne viene?».

«Cento lire a parte la marchetta».

«D'accordo. Però come faccio a riconoscerlo questo tuo amico?».

«Verrà accompagnato da un cinquantino alto un metro e ottanta, coi baffi e gli occhiali a stringinaso. È lui che ti domanderà com'è andata. Ad ogni modo, sarà il mio amico a riconoscerti, ti descriverò bene. Mi raccomando, in questi giorni non cambiare gli orecchini che porti ora».

«E se quando viene io sono al lavoro?».

«Non ti preoccupare, ti aspetterà».

«Guarda che tra otto giorni cambia la quindicina e io non ci sarò più».

«E io credo che riuscirò a farli venire domani sera».

L'indomani a matino Nenè aspittò che l'ingigneri Lavafiori, come faciva ogni matino alli novi, scinniva per accattarisi il giornali e lo firmò.

«Ho dovuto sudare, ma sono riuscito a persuadere a Lollo».

«Ottimamente!» fici l'ingigneri.

«Però...» principiò Nenè 'nterrompennosi subito e piglianno un'ariata dubitativa.

«Che c'è?».

«C'è che bisognerebbe fare presto, mi scanto che se gli lasciamo troppo tempo Lollo capace che cangia idea. Secunno mia bisogna che ci annate stasira stissa».

«Ma oggi è sabato! Sarà pieno di gente! Ci andiamo lunedì».

«Ma lunedì il casino è chiuso».

«Ah sì?» fici l'ingigneri che in materia non doviva aviri competenzia.

«Sì. E se aspettiamo fino a martedì io non garantisco che Lollo...».

«Va bene. Alle otto di stasira davanti al casino. Forsi ci sarà meno genti pirchì è l'ura di mangiare».

All'unnici Nenè pigliò la correra per Montelusa e annò da Lollo che passava le jornate chiuso 'n casa con le persiane 'nserrate come per un lutto stritto.

«Stasira all'otto l'ingigneri t'aspetta davanti al casino».

Lollo fici 'na speci di lamento d'agneddro portato al macello. A Nenè vinni gana di pigliarlo a cazzotti. Quante storie che stava facenno per una fissaria! Ma era 'nnamurato di Susina o no? Lui, al posto sò, sarebbi annato in milli casini di fila!

«Ora ti descrivo la picciotta che dovrai sceglirì e che si chiama Nives».

«E io che fazzo nel quarto d'ura che sto con lei?».

«Le fai ripassare le tabelline. E ricordati di darle le cento lire».

Quattro

Tutto marciò alla perfezioni. Alla nisciuta di Lollo dalla camera, l'ingigneri chiamò sparte a Nives e mittennole 'n mano vinti liri, le spiò:

«Com'è andata col ragazzo col quale si è intrattenuta?».

«E lei chi è? Perché lo vuole sapere?» spiò a sua volta Nives che era stata 'struita bona da Nenè.

«Sono... suo zio. L'ingegnere Lavafiori».

«Mi faccia vedere la carta d'identità».

L'ingigneri gliela ammostrò. Nives la taliò beni e po' sclamò:

«Una mitragliatrice! Un toro! Uno stallone! Ce ne fossero ragazzi così!».

Appena niscero fora, l'ingigneri misi 'na mano supra alla spalla di Lollo e sullennementi gli disse:

«Apprezzo i tuoi altissimi sentimenti. Sono onorato d'averti per genero. Domani vieni a mangiare da noi. E poi tu e Susina potrete uscire da soli. Ormai ho la certezza che non le mancherai di rispetto».

La passiata sirali dei dù picciotti suttavrazzo sirvì

a fari sapiri a tutta Vigàta che ogni cosa era tornata a posto e che lo zitaggio felicementi continuava.

Senonché, alla dominica appresso, che potivano essiri le novi e mezzo del matino, la signura Giovanna arricivì 'na tilefonata. E quanno sò marito tornò dall'aviri accattato il giornali, gliela arrifirì.

«Senti, ora ora tilefonò 'na picciotta. Si chiama Nives. Dice che ti deve parlari di 'na cosa 'mportanti e urgenti».

«E chi è? Non la conoscio. Glielo dicisti di richiamari?».

«Sì, ma lei disse che era meglio se le tilefonavi tu. Mi lassò il nummaro».

L'ingigneri lo fici. Gli arrispunnì 'na voci fimminina.

«Desidera?».

«Sono l'ingegner Lavafiori. Mi ha cercato la signorina Nives».

«Ora gliela passo».

«Pronto?» fici doppo tanticchia un'altra voci fimminina.

«Sono l'ingegner...».

«Lo so chi sei. Ci siamo conosciuti l'altra sera qua».

«Qua dove, scusi?».

«Al casino, te lo sei dimenticato? Mi hai dato venti lire, te lo ricordi?».

L'ingigneri aggilò.

«Che vuole?».

«Raccontarti una cosa. Vieni subito e porta con te tanti bei soldini. Diciamo trecento lire, va bene?».

«Non possiamo vederci lun... martedì?».

«No, non ci sarò più, con oggi mi scade la quindicina».

A mezzojorno e mezzo, quanno Lollo s'appresentò per mangiare 'n casa Lavafiori, come aviva ripigliato a fari, vinni assugliato a male parole dall'ingigneri e da sò mogliere e ghittato fora a pidate.

«Fituso! Nni volivi 'ngannare! 'Mpotenti! Omo senza cabasisi! Disgraziato! Farabutto tu e cchiù farabutto di tia quel malaconnutta del tò amico!».

«Ma Susina dov'è?» arriniscì a diri Lollo.

«Scordatilla! Non la vedrai mai cchiù!».

Distrutto, con le lagrime che gli colavano dall'occhi, Lollo s'apprecipitò da Nenè. Il quali accapì subito com'erano annate le cose.

«Di sicuro Nives s'è fatta pagari dall'ingigneri e gli ha contato la virità. E, per mittirisi al sicuro da mia che l'annavo a scassari di botte, ha aspittato l'urtimo jorno della quinnicina. Furba, la picciotta!».

«E ora che facemo?» spiò Lollo abbannunannosi supra al letto.

«Che vuoi fari? Nenti. Ora come ora ’sto giro di partita è perso».

Lollo si cummigliò la facci col cuscino e si misi a chiangiri alla dispirata.

Il jovedì che vinni, la signura Giovanna, accompagnata da Susina, annò a fari la solita visita alla matre di Nenè. Il quali con una scusa si portò la picciotta nella sò càmmara.

«L’avivi pinsata bona!» gli fici sardonica Susina. «Ma ti è annata mali!».

«Nicarè» arrispunnì Nenè che si era tanticchia abbuttato. «A mia mi pari che è annata mali a tia, dato che ti sei persa lo zito».

«Tu dici che mi è annata mali? Mi spieghi allura che minni facivo di un marito accussì?».

«Come marito avrebbi funzionato, te lo garantisco».

«Pirchì, lo provasti?» disse Susina sfidannolo.

Di colpo, Nenè perse la raggiuni. L’aggarrò con le dù vrazza e la vasò.

S’aspittava che Susina s’arribbillava inveci lei ricambiò l’abbrazzo e raprì la vucca quel tanto bastevoli che la lingua di Nenè ci trasisse. E subito appresso, mentri Nenè ripigliava sciato, gli detti un ordini:

«Riportami a Lollo».

«No, senti, spiegami a che joco stai jocanno».

«Al mio».

«Forsi dovremmo chiariri...».

«I chiarimenti a dopo il matrimonio, vabbeni? Avremo tutto il tempo che vogliamo, dopo, per i chiarimenti. Ma intanto tu devi fari in modo d'aggiustare le cose».

«Ma, scusa, pirchì ci tieni tanto a Lollo se...».

«Tu lassa perdiri il pirchì e il pircomo. Io a Lollo lo voglio. Per centomila motivi, ma uno soprattutto: non è per nenti giluso».

Nenè s'arricordò di come si era comportato con lui e Gina. Con un marito accussì, Susina avrebbi potuto fari i commodi sò. In quel momento trasì la matre di Nenè, arraggiata:

«Porco! Vastaso! La signura Giovanna m'ha contato tutto! Veni di là ad addimannarle scusa».

Mentri si calava a vasarle le mano, spardannosi in dimanne di pirdono, Nenè notò, per la prima volta, che la signura Giovanna, che aviva trentott'anni, vintidù meno di sò marito, tiniva un paro di minne di picciotteddra e che la sò vucca... Ecco da indove l'aviva pigliata Susina! E inoltre aviva la stissa pricisa 'ntifica taliata maliziusa di sò figlia.

«L'unica possibilità è quella che ora ti dico. Ma prima fammi un favori, vatti a dari 'na puliziata».

Da quann'era che Lollo non si lavava? Fatto sta che feteva, come la sò càmmara di dormiri. Nenè annò a raprire la finestra per fari cangiare l'aria. Quanno Lollo tornò doppo un quarto d'ura, Nenè lo fici assittare e gli disse:

«Ascoltami attentamente. Devi scrivere 'na littra alla signura Giovanna per aviri un appuntamento con lei. Ma in casa, quanno ci vai, ci devi essiri solo lei, senza il marito e senza Susina. 'Na cosa a quattr'occhi, chiaro? Scrivile che per tia è 'na questioni di vita o di morti e che se non t'arricivi peserai per sempri supra alla sò coscienzia».

«Ma io non ci penso a suicidarmi! Il suicidio per noi non è...».

«Lo saccio benissimo. Ma se tu non le scrivi accussì, quella non t'arricivi!».

«Ma po' la littra come gliela fazzo aviri?».

«Tu la dai a mia e io la consigno a Susina che la porta a sò matre».

Ci misiro tri uri per finiri la littra. Alla fini arrisultò che pariva scrivuta da uno a un passo dalla fossa e col becchino con la pala pronta.

Appena che la matina appresso 'ncontrò a Susina strata strata, Nenè le misi 'n mano la busta chiusa.

«Che è?».

«Lo rivuoi a Lollo? Allura non fari dimanne e dunala a tò matre senza farla vidiri a tò patre».

Nello stisso doppopranzo, Susina, con la scusa di portari un dolci fatto da sò matre alla matre di Nenè, trovò il modo di dirgli:

«'A mamà, prima di vidiri a Lollo, voli sintiri a tia».

Tutto annava come Nenè aviva previsto.

«Vabbeni. Quanno?».

«Dumani matino all'unnici. 'N casa non ci sarà nisciuno».

«Signora, mi permette di parlari sincero e senza che si offenni per le paroli che adopiro?».

«Certo».

«State mannanno all'aria un matrimonio che avrebbi fatto la filicità di sò figlia Susina».

«Ma se lui non...».

«Signora, Susina è caduta in un equivoco. Dice che quanno s'abbrazzano, non glielo sente. È accussì?».

La signura Giovanna arrussicò.

«Beh, sì».

«Signura, deve sapiri che Lollo ha una capacità di controllo straordinaria. Lui, con Susina, si tiene. A stento, ma si tiene. Con la forza della volontà e della prighera. Pirchì a Susina la voli rispittari fino a quanno non saranno maritati. Lui è fatto accussì. E voi state scangianno un merito per una mancanza».

«Ma se Susina dici...».

«Ma è proprio con Susina che desidera tanto che devi comportarisi accussì! Non lo capisce?».

«E allura pirchì con quella fìmmina non...».

«Pirchì era 'na prostituta! E lui non ci va con quelle fìmmine! Se si fosse trattato di annare, che so, con un'amica di Susina, avrebbi fatto foco e fiammi, mi deve cridiri!».

«Foco e fiammi? Davero?».

«Signura mia, non mi facissi parlare! Quante volte, che eravamo 'nzemmula nella mè càmmara e stavamo a parlare, metti, di Kant o di Hegel, a lui di colpo gli addivintava... mi spiegai? Con Kant! Ma se l'immagina! Accomenzava a turciuniarisi supra alla seggia, a lamentiarisi "oddio che mali! oddio che mali!". E non c'era verso, sa? Annavo 'n cucina, pigliavo tanticchia di ghiazzo, glielo davo e lui se l'infilava nelle mutanne».

La signura Giovanna ora aviva il respiro tanticchia cchiù viloci del solito, l'occhi sbrilluccicanti, e le guance arrussicate.

«E quella volta che vitti supra a 'na rivista la fotografia di 'na picciotta mezza nuda? Vuole che gliela conto come annò a finiri?».

«Risparmiami» disse con un filo di voci la signura.

Si vidi che la signura Giovanna doviva aviri 'na gran fami attrassata, l'ingigneri di sicuro la tiniva a stecchetto.

«Le dico sulo che dovetti usare mezza lastra di ghiazzo! E passato l'effetto del ghiazzo, doppo cinco minuti era punto e daccapo. Lollo è come un cucummareddro serbaggio, di quelli che abbasta toccarli con la punta di un vastone e scoppiano schizzanno 'na gran quantità di simenza torno torno. Lo sapi che quanno veni a la mè casa si porta appresso quattro para di mutanne, rispetto parlanno, pirchì gli capita di... e se le deve cangiare? La prego, l'arricivisse a Lollo, lui potrà spiegarsi meglio di mia».

«Vabbeni» fici la signura Giovanna che l'immagini del cucummareddro serbaggio che spardava simenza l'aviva fatta avvampare. «Digli di viniri dumani matino alli deci».

«E che le devo contare a quella?».

«Le stisse pricise cose che dicisti a mia. Pirchì non vuoi toccari a Susina prima del matrimonio. Sulo che le devi spiegare beni 'na cosa».

«E cioè?».

«Quanto addesideri a Susina. Quanto ti piace come fìmmina. Che te la sogni la notti nel letto con tia mentri che v'abbrazzate e... Pirchì fai 'sta facci? Non mi diri che non te la sei mai insognata!».

«No, me la sono sognata propio come dici tu. Ma mi vrigogno a contarglielo a sò matre».

«Ma appunto pirchì è sò matre tu devi parlari con lei come in confessione, dicennole tutto! Macari i dettagli! Cchiù lei avverte l'intensità del tò desiderio per Susina e cchiù si capacita del sacrificio che fai a non toccarla! E po' stammi a sentiri: se arrinesci a convinciri a sò matre, è fatta. Masannò supra a Susina ci puoi mittiri 'na croci».

Manco 'na simanata doppo che Lollo era ghiuto a parlari con la signura Giovanna, lei tanto fici e tanto disse col marito che l'ingigneri si lassò persuadiri e acconsentì che Lollo tornasse a fari lo zito di Susina. La quali, avenno avuto rassicurazioni da sò matre («ci siamo agginocchiati, abbiamo prigato e io ho sintito 'na voci che mi diciva: fallo maritari con Susina!»), non tirò fora altre fisime.

Dù misi appresso, la signura Giovanna comunicò al marito che quella volta che l'avivano fatto doppo quattro anni che non lo facivano, la cosa aviva avuto un bellissimo seguito: il dottori le aviva ditto che era 'ncinta. Per la contintizza, mancò picca che all'ingigneri non gli viniva un sintòmo.

Lollo e Susina si maritaro otto misi appresso, doppo che la signura Giovanna si fu sgravata di un piciliddro. Nenè fici il testimonio di Lollo. La coppia, tornata dal viaggio di nozzi, annò a bitare a Montelusa in un appartamentino accattato dall'ingigneri.

Quanno Lollo sinni partiva per Palermo per dari l'esami all'università e ristava fora minimo 'na simanata, Nenè acchianava a Montelusa e annava da Susina. Praticamenti, passavano il doppopranzo a darisi reciproci chiarimenti e ne traevano grannissima sodisfazioni.

L'uomo è forte

Uno

Che la flabbica prima o po' chiuiva, era 'na voci che corriva da qualichi misata. Si diciva che dall'estiro da tempo non erano arrivate cchiù né gari d'appalto né ordinazioni private. Lo sconquasso che era partuto dalla Merica aviva traversato mezzo munno ed era arrivato macari in quel paìsi perso 'n mezzo alle muntagne del centro dell'isola.

Ma non tutti i vecchi, vali a diri i cinco operai che ci travagliavano oramà da trent'anni, dal primo jorno che la flabbica aviva pigliato a funzionari, erano dello stisso pariri.

Gisuè Sorrentino era dei cinco il cchiù ottimista: «Picciotti, non faciti 'sti facci, non pirdemoci d'animo, 'sta facenna è già capitata 'na para di volte, ve lo siete scordato? Pariva che eravamo arrivati alla vigilia della chiusura e po', com'è e come non è, abbiamo continuato a travagliare».

«Ma l'altre volte era diverso» replica 'Ntonio Mazza. «Stavolta la storia arriguarda il munno sano sano, ora c'è la recessioni...».

«Me lo spiegate che è 'sta recessioni?» dimanna Pitrino Larocca.

«Te la spiego io» 'ntirveni Angelo Bianco. «Sàvuta 'u trunzo e va 'n culo all'ortolano».

«E che veni a diri?».

«Veni a diri che chi ha i dinari, 'nni perdi tanticchia, ma continua a mangiari e a viviri, mentri nui pirdemo tutto, macari le mutanne. Come sempri».

Tano Cumbo senti l'occhi dei sò compagni puntati supra di lui, gli attoccherebbi di diri la sò, ma non gli spercia.

«Bonasira a tutti» dice e nesci dallo spogliatoio dell'anziani.

La sò casa dista a pedi 'na mezzorata di camino. Quella matina non ha pigliato la lambretta, a malgrado che siano i primi di novembriro la jornata pari ancora ottobrina epperciò ha addeciso che gli faciva beni fari quattro passi. Piglia la strata che porta verso il centro del paìsi pirchì Lina gli ha arraccomannato d'accattare il pani.

Tri compagni assai cchiù picciotti lo sorpassano 'n motorino e lo salutano.

«A dumani, Tano».

Lui arrispunni con un gesto della mano, non avi gana di raprire la vucca.

Come fanno a essiri accussì sicuri che all'indomani s'arritroveranno ancora tutti in flabbica?

Lui è da tempo che s'immagina la scena di rapriri la porta di casa e vidirisi davanti a sò mogliere Lina che gli proi 'na littra. La littra di licenziamento.

E po' i tri picciotti hanno ancora la forza della giovintù, macari se saranno licenziati attroveranno modo d'arrangiarisi.

Ma lui, a cinquantott'anni sonati, che travaglio vuoi che trovi? E po', 'n coscienzia, che sapi fari di diverso da quello che ha fatto per tri decine filate?

La flabbica, per tutto 'sto tempo, era stata 'na speci di oasi nel diserto. L'unica in un paìsi di dudicimila bitanti, nasciuta da 'na bella pinsata di Fabio Passatore, 'u figlio di Pippino 'u cantoneri, che aviva studiato ed era arrinisciuto 'ngigneri.

Quanno Fabio era tornato dalla Merica indove che era annato a studiari ancora appresso alla laurea, e gli ammancava picca a divintari trentino, in paìsi accomenzò a firriare la voce che aviva 'ntinzioni di costruiri 'na flabbica.

«E chi voli fari con 'sta flabbica?».

«Mattonelli».

A 'sta risposta, la genti si mittiva a ridiri.

E per fari mattonelli c'era bisogno d'addivintari 'ngigneri e macari d'annari a studiari nella Merica? Però le risate finero e principiaro le dimanne via via che la flabbica viniva flabbicata. A che serviva quella grannissima costruzioni 'n muratura che pariva un capannoni ma che capannoni non era? E pirchì 'na palazzina 'ntera per l'uffici? E pirchì 'na mensa che pariva un ristoranti di cità?

E po', quanno accomenzaro ad arrivari i machinari che dicivano che ognuno viniva a costari quanto dù palazzi novi, la genti addivintò muta, non fici cchiù dimanne, aviva accapito che la cosa era grossa assà.

Pirchì si trattava di mattonelli, questo era vero, ma di mattonelli spiciali, in grado di resistiri a timpirature altissime.

Il primo appalto se lo pigliaro in Sguizzera, le mattonelli dovivano rivistiri 'na lunghissima gallaria sottirranea che sirviva per fari spirimenti alli scienziati. Per mantiniri l'impegno e consignari la robba a tempo, erano arrivati a fari tri turni, travaglianno notti e jorno. Il secunno appalto l'avivano avuto dalla Merica, le mattonelli ci abbisognavano per cummigliare l'esterno dell'apparecchi che annavano nello spazio.

No, meglio non pinsari a quello che è stato, meglio non pinsari alla festa che l'ingigneri aviva voluto fari quanno, sempri dalla Sguizzera, era arrivata la notizia che avivano vinciuto 'na secunna gara ancora cchiù 'mportanti della prima, meglio...

Mentri camina a testa vascia, senti un liggero colpo di clàcchisi alle sò spalli. Si scanza per lassare passari la machina. Ma arriva un altro colpo di clàcchisi. Si ferma, appuiato al muro d'una casa, e si volta a taliare la machina.

Che è ferma e avi lo sportello della parti del passiggero aperto.

L'arriconosce, è quella di Anna, la sigritaria pirsonali dell'ingigneri che in lei avi la massima fiducia.

S'avvicina, si cala.

«Voli un passaggio?» spia Anna.

«Grazii, Annù, ma è troppo distrubbo, prima devo passari dal forno».

«Acchianasse».

Acchiana. La machina riparte. Non parlano. Tano vorrebbe spiarle la virità supra alle voci che girano, lei di sicuro sapi com'è la situazioni pricisa, ma gliene ammanca il coraggio. La talìa di suttocchio e vidi che non ha il solito sorriso di picciotta allegra come è sempri stata, ma anzi che avi la facci scurosa.

«Come stai, Annù?».

«Accussì accussì, zù Tano».

Anna gli dà del lei o del vossia macari se lo chiama zù e lui, che l'ha viduta crisciri, 'nveci le dà il tu.

Pirchì Anna è stata l'amica del cori della sò prima e unica figlia, Stella, che è morta ammazzata da un camio guidato da un 'mbriaco che manco aviva diciassetti anni. Di Stella Anna era stata cumpagna di banco dalla prima limentari sino alla terza liceo e non passava jorno che non viniva 'n casa a fari i compiti con l'amica.

Accatta il pani, risale 'n machina, metti la scanata supra al sedili posteriori.

Sulo quanno ferma davanti a la casa e Tano fa per raprire lo sportello, Anna dice:

«Aspittasse un momento».

«Che c'è, Annù?».

Ma Anna non arrisponne subito, teni l'occhi fissi supra al volanti. Tano ha già accapito. Se la sintiva arrivari.

«Mali nove?».

«Sissi».

«La flabbica?».

«Sissi».

«Arriguardano a mia?».

«Arriguardano a tutti. La flabbica chiui. Semo a spasso. Ho già priparato le littre. Dumani matina l'ingigneri le firma, ma prima nni voli parlari. Oggi è jovedì. Dumani all'una si chiuino i cancelli».

Che c'è da diri? Nenti di nenti. Agliutti, la gola gli è 'mprovisamenti addivintata sicca.

«Grazii del passaggio, Annù. Nni videmo».

«Coraggio, zù Tano».

Coraggio? 'Na parola!

«Lo portasti il pani?» gli spia Lina vidennolo compariri a mano vacanti.

Lui si dà 'na botta 'n fronti.

«Nella machina di Anna me lo scordai!».

«E ora come facemo? I negozi saranno già chiuiuti».

«Ma non è ristato pani d'ajeri?».

«Sì, ma è duro!».

«Ti ci dovrai bituare» gli scappa di diri.

Lina pari non aviri sintuto. Del resto, Tano non le ha mai arriferito le voci che corrivano.

In quel momento tuppiano alla porta. È Anna, con la scanata di pani 'n mano.

«Vuoi ristari a mangiare con noi?» le spia Lina.

«Nonsi, grazii, 'a mamà m'aspetta».

«Spiegami che è 'sta storia che dobbiamo bituarci al pani duro» attacca Lina mentri che, finuto di mangiari, si susi per sconzare la tavola.

Allura aviva fatto finta di non aviri sintuto!

«Assettati».

«No, che devo lavari i piatti. Tu parla, che io ti sento lo stisso».

«È meglio se t'assetti, senti a mia. E po' non mi piaci parlariti mentri che trasi e nesci dalla cucina. Ti devo diri 'na facenna che...».

E ccà succedi 'na cosa stramma. Lina gli s'avvicina, piglia la buttiglia del vino, inchi il bicchieri che lui avi ancora davanti.

Mai Lina ha voluto che Tano si vivissi chiossà

di tri bicchieri di vino a mangiata. E ora a parlari è sò mogliere, non lui.

«Non c'è bisogno che ti distrubbi a raprire la vucca, Tanu. Ti pari che nui fìmmine non sapemo le cosi? Tu non mi l'hai voluto diri che c'era pricolo che la flabbica chiuiva, ma io l'ho saputo lo stisso. E da appena sinni è accomenzato a parlari. Propio stamatina al mercato ci avemo raggiunato. Con la mogliere di 'Ngilino Bianco e 'Ntonio Mazza. Ti dico 'na cosa sula: pensa a quanto, nella disgrazia, semo fortunati noi dù».

Tano stramma.

«Fortunati?!».

«Essì. Nui la nostra unica figlia l'avemo persa. Ma 'Ngilino ne avi uno sdisoccupato e l'altra malata. L'urtimo figlio di 'Ntonio 'nveci avi dudici anni, meno mali che la soro cchiù granni travaglia».

C'è qualichi cosa che a Tano pari stonato nelle paroli di Lina.

«'N conclusioni, secunno tia, è stata 'na fortuna perdiri a nostra figlia?».

«Non volivo dire questo e tu lo sai. Se vuoi attaccare turilla e sfogariti, patronissimo. Ma arricordati che se nostra figlia ora fusse con noi, sarebbi 'na sdisoccupata com'è Anna».

E sinni va 'n cucina a puliziare i piatti.

Quanno Lina torna nella càmmara di mangiare, trova a Tano con un foglio di carta davanti e 'na matita 'n mano. Il foglio è già mezzo cummigliato di nummari.

«Che stai facenno?».

«Sto facenno il cunto di quanto m'attocca di pinsioni».

Lina fa 'na smorfia.

«Lassa perdiri, non ti fari viniri il malo di testa. Sempri meno di quello che ci abbisogna».

«E tu come fai a sapirlo?».

«'Ngilino e 'Ntonio hanno la tò stissa 'nzianità, no? Rita, la mogliere di 'Ngilino, il cunto se l'è già fatto».

Lui la talìa nell'occhi.

«E quanto veni?».

«Si va bono, ottocentotrenta euri».

Se gli sparava un colpo di revorbaro 'n mezzo al petto era meglio. Di colpo, s'attrova assammarato di sudori. No, non è possibbili, doppo trent'anni che uno travaglia...

«Errori c'è».

«E tu domani spialo a Giovannino, quello del sindacato» dice Lina.

Addruma il televisore, s'assetta nella sò pultruna. Ma come le spercia in un momento simili di taliare le minchiate della televisioni?

«Non è che ti sento tanto prioccupata».

«Lo sugno, prioccupata. Ma forsi si pò attrovari un rimeddio».

«Quali?».

«Mi metto a travagliare».

«Tu?!».

«Pirchì» fa Lina risintuta. «Non sugno bona a travagliare? La casa non te la tegno sempri pulita e in ordini?».

«Ma che ci trase?».

«Ci trase. Pirchì come tegno pulita e in ordini la casa nostra, posso tiniri macari quella dell'altri».

Tano ci metti tanticchia ad accapiri il significato di quelle paroli. Po' allucchisce.

«Ti voi mettiri a fari la cammarera?».

«Sissignori. Travaglio è, non è che minni vaio ad arrubbare».

Due

«Bonanotti».

«Bonanotti».

Manco passano deci minuti e senti che la sciatata di Lina è addivintata quella calma e regolari del sonno.

Ma di che è fatta, 'sta fìmmina che da trentott'anni gli dormi allato?

Quanno morse Stella, la loro figliuzza, a fari il riconoscimento ci annò Lina, pirchì lui non si potiva cataminare, ghittato supra al letto chiangiva alla dispirata e aviva la testa 'n confusioni e le gamme di ricotta. Ma lei attrovò la forza di annare a taliare quello che ristava del corpo di sò figlia, 'n silenzio, con le lagrime che le assammaravano la cammisetta, ma senza vociate e sbinimenti.

E se non ci fossi stata lei a tinirlo vigliante fino a mità nottata per farlo studiari per passari a specializzato quanno già da tri anni travagliava nella flabbica, non ce l'avrebbi mai fatta, questo era certo.

Non arrinesci a pigliari sonno.

A un certo momento della nottata si susi dal letto, va nella càmmara di mangiare, non sapi che fari, addruma la televisioni, ci leva l'audio, s'assetta nella sò pultruna. Stanno facenno un film miricano di guerra.

Doppo cinco minuti che talìa le immagini senza accapiri quello che succedi, astuta l'apparecchio.

"È inutili spardari la luci" pensa.

E allura astuta macari la luci della càmmara, tanto se uno devi pinsari può pinsari macari allo scuro, e torna ad assittarisi.

È cchiù che certo che, macari se Lina si mittirà a travagliare, il dinaro non sarà bastevoli.

Epperciò abbisogna accomenzare a pinsari a quali cose arrinunziare.

D'altra parti, non è che con la paga che pigliava potivano spenniri come volivano. Nell'ultimo anno la paga pirmittiva d'arrivari priciso priciso fino alla fini del misi. Nei primi vint'anni di travaglio 'nveci qualichi cosuzza, 'na miseria, erano arrinisciuti a mettiri sparte. Po', con l'arrivo dell'euro, non c'era cosa che non era aumentata e il dinaro, a picca a picca, sinni era ghiuto tutto.

Si può fari a meno del tilefono? Si può fari a meno della lambretta? Si può fari a meno della televisioni? Si può fari a meno del giornali che s'accatta ogni matina?

Questi sunno i quattro lussi che si potrebbiro eliminari.

Lussi?

Il tilefono non è un lusso, ma 'na nicissità. Lusso sarebbi stato accattarisi un tilefonino, che ora ce l'hanno tutti, macari i picciliddri di sei anni, ma né lui né Lina l'hanno mai voluto. No, il tilefono devi ristare. Metti caso che lui o Lina si sentino mali, ponno sempri chiamari il medico con una tilefonata.

La tilevisioni sì che è un lusso, ma è macari 'na nicissità. Come faranno a passari le sirate senza il sò aiuto? E po', ogni tanto, c'è qualichi comico che ti fa ridiri. E 'na risata, certe volti, è meglio d'una medicina.

La lambretta? La lambretta piccamora gli serve. Pirchì è stato il fatto che Lina non s'è persa d'animo a dargli coraggio. Vabbeni, avi l'età che avi, sarà difficili attrovare un novo travaglio, ma questo non significa che non devi mittirisi a circarlo. Epperciò della lambretta non sinni pò fari a meno per firriare paìsi paìsi.

Resta il giornali. Beh, le notizie se le pò sempri sintiri 'n tilevisioni. Sì, l'unica è non accattare cchiù il giornali.

E mettiri nelle càmmare lampatine meno forti, accussì com'è ora, la sò casa pari 'na luminaria di festa.

A ’sto punto gli torna a menti ’na storia vecchia che si conta ’n paìsi, quella del baroni Ganziano. Un jorno il baroni arreunì la famiglia, che era composta dalla mogliere, un figlio mascolo vintino e ’na figlia fìmmina diciottina e accomunicò che era falluto e che perciò era assolutamenti nicissario accomenzare a fari risparmi. Ma fici ’na primissa. E cioè che lui, per nisciuna raggiuni al munno, avrebbi arrenunziato al cognacchi che si faciva viniri apposito dalla Francia. E subito sò mogliere arreplicò che manco lei avrebbi potuto fari a meno dei vistiti che le faciva apposta ’na sarta milanisi. Il figlio mascolo disse che era disposto a perdiri tutto ma non la potenti atomobili che aviva. La figlia fìmmina fici sapiri che mai e po’ mai avrebbi arrenunziato ai viaggi che ogni sei misi faciva ’n Francia, ’n Germania, ’n Ghilterra. ’Nzumma, alla fini della riunioni, i Ganziano attrovarono un accordo: avrebbiro accattato meno pani.

Ora lui, fatte le debite proporzioni, s’attrova come i Ganziano.

Sarebbi abbastato non accattare il giornali e spagnare supra alla bolletta della luci a pareggiari?

Si va a corcare cchiù confuso che pirsuaso.

Mentri si sta ’nfilanno sutta al linzolo gli torna a menti che ’na cosa di lusso la possedi.

Il ralogio sguizzero che s’è accattato ’na decina d’anni passati, facenno ’na vera pazzia.

I ralogi gli sono piaciuti da quann'era piccilid-dro e non ha mai saputo spiegarisinni il pirchì. L'ha squasi sempri tinuto nel cascione del commodino dato che annarici in flabbica non era cosa. Se lo mittiva nei jorni di festa. Po', con tutta 'sta latroneria dell'ultimi tempi, ha pinsato che la meglio era lassarlo 'n casa.

Ci devi arrenunziari o no? Ma che dimanna si sta facenno? Lui non è nobili come i Ganziano. La prima cosa che andrà a 'mpignarisi o a vinniri di sicuro sarà il ralogio. Un certo valori lo devi aviri. Lui continuerà a portari quello che s'è accattato supra a 'na bancarella per deci euri.

L'operai sunno ottantatri, stanno arriuniti nello spiazzo davanti al flabbicato dell'uffici 'nzemmula ai deci 'mpiegati. Hanno appena finuto di leggiri la littra che Anna ha consignato a ognuno. C'è un silenzio che pare d'essiri al camposanto quanno s'assisti a un seppellimento. Da un momento all'altro si mittirà a chioviri, il celo è carrico di nuvole nìvure. Ci mancava sulo 'na jornata simili per fari stringiri chiossà il cori. L'ingigneri nesci fora, acchiana supra a 'na cascia di ligno. È accussì giarno 'n facci che pari malato. La stissa facci dell'operai e dell'impiegati, si vidi che nisciuno ha chiuiuto occhio. Quanno accomenza a parlari, la voci gli trema.

Dice che è obbligato a firmari la flabbica pirchì non arrivano cchiù ordinazioni da nisciuna parti. Dice macari che è arrinisciuto a ottiniri la cassa 'ntegrazioni per squasi tutti, meno che per i cinco cchiù anziani che vanno in prepensionamento. Raccomanna di lassare i machinari puliti e cummigliati pirchì, passata la buriana, è certo che la flabbica ripiglierà a funzionari. Concludi dicenno che possono passari alla cassa per ritirari la busta paga. Po' fa l'auguri a tutti e va ad abbrazzare i cinco anziani, quelli che sono stati con lui dal principio.

All'una di quel vinniridì matina, deci novembriro, sutta alle prime stizze d'acqua di celo, Tano nesci dalla flabbica sapenno che non ci tornerà mai cchiù.

Tempo cinco minuti e si scatina un temporali, Tano non vidi nenti, il vento è accussì forti che fa sbandari la lambretta. Ferma, scinni di cursa, s'arripara dintra a un portoni. È assammarato, avi il vistito completamenti vagnato, l'acqua gli trase dal colletto, gli sciddrica nella schina, gli provoca addrizzuna di friddo.

Doppo 'na decina di minuti scampa di colpo. Ma è chiaro che si tratta di 'na pausa brevi. Riacchiana supra alla lambretta, parti.

Lina non l'aspittava, pinsava che sarebbi tornato alla sira. Lui corre 'n bagno, si spoglia, s'asciuca, s'arrivesti con la robba asciutta. Nel frattempo sò mogliere gli ha priparato un piatto di pasta.

«Vuoi 'na cotoletta?».

«No. Non ho pititto».

Lina torna dal bagno indove è annata a pigliare la robba che lui si è livata per mittirla ad asciucari davanti alla stufetta lettrica.

«'N sacchetta c'è la busta paga».

Lina la tira fora, ne cava gli euri che ci stanno dintra. Sunno accussì vagnati che si sono 'ncoddrati un foglio con l'altro e, quanno si prova a separarli, arrischiano di strazzarisi. Tano leva i vistiti dalla seggia e al loro posto ci metti il dinaro via via che Lina glielo passa. Dintra alla busta ci stanno milli e cinquanta euri, la paga 'ntera del misi.

L'ingigneri è stato giniroso.

È già capitato che certe volte è stato obbligato a ristare 'n casa nei jorni di travaglio. In trent'anni però è successo picca volte e sempri per una scascione precisa. O pirchì gli era vinuta la 'nfruenza, o per il lutto di Stella o pirchì aviva dovuto dare adenzia a Lina che si era fatta mali a 'na gamma e non si potiva cataminare. Ma si trattava di 'na parentesi, passato il momintanio 'ncommodo, sarebbi tornato al travaglio. Ora la facenna è completamenti diversa. Lina da un pezzo si è assittata vicino alla finestra e ha principiato a ricusiri l'orlo di 'na gonna. Tutto 'nzemmula dice:

«Mi voi fari nesciri pazza?».

«Pirchì?».

«È da un'orata che vai avanti e narrè dintra alla càmmara».

Non se ne è addunato. S'assetta, ma doppo picca le gamme gli accomenzano a formicoliare, senti la nicissità di dovirisi susiri, non può stari fermo.

«Pirchì non ti leggi il giornali? O si vagnò?».

«Stamatina non me l'accattai».

«Te lo scordasti?».

«No. Voglio principiare a sparagnare».

«Figurati che sparagno!».

«Un euro al jorno. Che però alla fini dell'anno fanno tricentosissantacinco euri. Ti parino picca? Le notizie me li sento 'n televisioni».

Po' va a raprire il cascione della cridenza indove teni le carte da joco, si fa un solitario.

Verso le cinco sona il tilefono. Lina va ad arrispunniri.

«È per tia. È 'Ntonio Mazza».

«Dimmi, 'Ntò».

«Senti, Tano, volissi viniri nni tia tra 'na mezzorata».

«Vabbeni».

Riattacca. E po', arrivolto a Lina:

«Tra 'na mezzorata veni 'Ntonio».

«Vattinni 'n càmmara di dormiri che io dugno 'na puliziata ccà».

«E che fazzo in càmmara di dormiri?».

«Bih, come sei camurrioso! Ti stinnicchi».

No, non voli stinnicchiarisi supra al letto, gli pari un gesto di malagurio.

Piglia uno dei libri che nell'ultimo anno gli sono stati arrigalati col giornali e che teni dintra al commodino, s'assetta supra a 'na seggia, accomenza a leggiri.

Si chiama *L'Acqua* e parla di come l'acqua manca in certi paìsi africani e che c'è genti che si fa a pedi tri chilometri al jorno per annarisi a inchiri 'na lanceddra d'acqua fitusa da un pozzo.

"Al pejo non c'è mai fini" pensa.

'Ntonio dice che ha parlato con Giovannino il sinnacalista. Il quali ha detto che sarebbi meglio se i cinco anziani che vanno in prepensionamento annassero il lunidì che veni a Cartanisetta per parlari con quelli dell'Inps per sapiri qual è la loro posizioni.

È 'na cosa che conveni fari subito, in primisi pirchì prima d'arriciviri la pinsioni ponno passari chiossà di sei misi e in secundisi pirchì l'anni che hanno di versamenti non permettino, con le liggi che ci stanno ora, d'aviri la pinsioni completa.

Restano d'accordo che tutti e cinco, lunidì a matino pigliano il treno delli setti che alli otto li fa arrivari a Cartanisetta.

Già il pititto era scarso, la parlata col compagno di travaglio e di sbintura glielo ha fatto passari del tutto. Lina, che era prisenti mentri c'era 'Ntonio, s'arraggia.

«Veni a diri che mangi per forza!».

«Ma se non ne ho gana?».

«Te la fai viniri».

Arrinesci a stento ad agliuttiri la ministrina e la cotoletta arrefutata a mezzojorno. Mentri mangia, accomenza a sintiri friddo. Lina sinni adduna.

«Che hai? Hai l'occhi luciti».

Si susi, va a pigliare il tirmometro, glielo proi. Lui se lo metti sutta all'asciddra. Quanno lo ripiglia e lo talìa, vidi che avi trentotto di fevri.

«T'arrifriddasti quanno ti pigliasti l'acqua con la lambretta. Vatti subito a corcare. Non nni potemo cchiù permittiri di cadiri malati».

Lina avi raggiuni. Non è cchiù tempo di pirmittirisi il lusso, questo sì che sarebbi un vero lusso, di 'na malatia.

«Dammi 'na spirina».

«Ma quali spirina!».

E gli va a priparari 'na tazza di vino bollenti con tanticchia di scorcia d'arancio dintra.

Tre

A Cartanisetta non è che arrisorbino come spiravano. Venno arricevuti dal funzionario a mezzojorno passato pirchì davanti alla porta dell'ufficio c'è 'na fila che non finisci mai di mascoli e fìmmine suppergiù della loro stissa età, ex operai o 'mpiegati di flabbiche e 'mprise che hanno chiuiuto o stanno chiuienno.

Nell'ufficio ci stanno sulamenti dù seggie, oltre a quella del funzionario che è darrè a 'na scrivania completamenti cummigliata di carte. 'Ntonio e 'Ngilino s'assettano, l'altri restano addritta.

Quello passa 'na decina di minuti a taliare le carte di tutti che 'Ntonio ha provveduto a farisi dari da Anna sabato passato e dice che accussì, a prima vista, dato che non arrisultano altri contributi prima del loro travaglio nella flabbica dell'ingigneri, all'anni per aviri il massimo di pinsioni non ci arriva nisciuno dei cinco.

«Ma sunno trent'anni!» replica 'Ntonio.

«Embè?» fa il funzionario. «Non abbastano».

«Quanno che trasii per la prima volta 'n flabbica» dice ’Ngilino, ma è come se parlassi a se stisso «pariva che l’operai sinni sarebbiro potuti ghiri ’n pinsioni a cinquant’anni. E godirisi i vint’anni di vita che gli ristavano. Ora si parla di sittanta. Vali a diri che ti mannano ’n pinsioni quanno sei arrivato ’n punto di morti».

Il funzionario manco lo sta a sentiri, continua a taliare le carte. Appresso proi a ognuno un foglio, spiega quello che ci devono scriviri e indove mettiri la firma.

«Le pratiche sono state avviate. Avrete notizie» dice alla fini.

«E quanno le avremo, ’ste notizie?» spia ’Ntonio.

«Prima possibile. Fate entrare gli altri, per favore».

Per tutto il viaggio di ritorno non spiccicano parola.

Tano pensa che la facenna della pinsioni sarà ’na cosa longa, l’ultima paga durerà sì e no ’na misata e appresso? Si vinni il ralogio, vabbeni, e appresso?

Il treno si ferma alla stazioni, scinnino e si salutano a voci, senza stringirisi le mano, senza taliarisi ’n facci.

Come se s’affruntassero a taliarisi nell’occhi.

E forsi si vrigognano davero d’aviri perso il travaglio. Non è stato per colpa loro, certo, ma ’sta sinsazioni di liggera vrigogna ognuno se la senti lo stisso.

’N casa, trova a Lina scurosa ’n facci. Che le è capitato? Sicuramenti qualichi contrarietà grossa. Sta per spiarglielo, ma lei rapri la vucca per prima:

«Che aviti combinato a Cartanisetta?».

«Avemo abbiate le pratiche».

«Ti dissiro quanto ti danno?».

«L’impiegato non lo sapi, devi fari i conteggi. Ma sempri meno di quello che m’aspittavo».

«E quanno te l’accomenzeranno a dari ’sti quattro soldi?».

«Boh, ma di sicuro passeranno misi e misi».

Lina suspira.

«Bono semo cumminati».

«Che successi?».

«Stamatina è vinuta la signura Nunziata».

La signura Nunziata è ’na sissantina vidova e sula che è la propietaria dell’appartamento e che campa con una pinsioni di ducento euri e coi tricentocinquanta che loro le pagano d’affitto.

Tano s’allarma, ha capito pirchì sò mogliere avi la facci scurosa.

«Voli l’aumento?» spia.

«Sì. Dice che non ce la fa cchiù a campare. Dice che la casa lei la potrebbi affittari cchiù cara assà, ed è sulamenti per amicizia che non ci voli dari lo sfratto».

«Quanto addimanna?».

«Cento euri d'aumento al misi. A partiri da ghinnaro».

«All'annigato, petri d'incoddro» commenta Tano.

Ma la facci di Lina, di colpo, è tornata a essiri quella di sempri, arresoluta, addecisa.

«A nui» dice «nisciuno ci farà annigari epperciò non ci potranno tirari petri per farinni annigari meglio».

«Sì, ma tu lo sai come faremo a non annigari?».

«Dio vidi e provvidi» taglia curto Lina.

Ma doppo la prima simanata, Tano principia a pinsari che Dio è troppo 'nchiffarato in altre cose per abbadare a Lina e a lui.

Sò mogliere si è firriata 'na decina di case di pirsone bonostanti e si è sempri sintuta arrispunniri negativo, la cammarera ce l'hanno già.

Per parti sò, Tano ha circato travaglio in un magazzino di lignami, nella granni falignameria di don Tichino, al mercato comunali, nella ditta di don Manlio che possedi cinco camio e fa trasporti. Le risposte sunno sempri uguali, o stanno al completo o stanno per accomenzare a licenziari e di assumiri perciò manco sinni parla.

«Squasi squasi mi vinno il ralogio».

«Aspetta. Prima finemo il dinaro che avemo. E po' pirchì 'nveci di vinnirlo non lo porti al monti di pietà?».

«Lina, arrifletti. Vinnennolo, ci guadagno chiossà. E se lo porto al monti, po' indove l'attrovo il dinaro per spignarlo?».

Lina non dici nenti.

'Na matina, passanno davanti alla chiesa di San Giusippuzzo, si senti chiamari. Si volta. È patre Ramunno, 'u parrocu.

Né lui né Lina sunno pirsone chiesastre, non vanno manco alla missa della dominica. O almeno, Lina ogni tanto lo va a trovari, a patre Ramunno. Ma cchiù per amicizia che per le cose di Dio. Pirchì patre Ramunno, quanno che capitò la disgrazia di Stella, s'appresentò a la casa e seppi dari conforto granni a Lina.

«Come te la passi, Tano?».

«Malamenti, patre Ramunno».

«Lo saccio, lo saccio. Me lo disse tò mogliere. Senti, c'è 'na bona notizia. La fìmmina che ogni jorno veni a puliziari la chiesa, 'na filippina, sinni va a lo sò paìsi e torna ai primi di ghinnaro. Glielo voi spiare a tò mogliere se la voli sostituiri?».

Appena che a tavola arriferisci a Lina le paroli di don Ramunno, Lina si susi lassanno a mezzo la pasta e si 'nfila il cappotto.

«Indove vai?».

«Ad attrovare al parrino».

«Che prescia c'è?».

«Talè, io l'accanoscio a don Ramunno. Se ci s'apprisenta qualichiduna cchiù bisognevoli di mia, lui la metti a travagliare».

«Meglio che nenti» dice Lina posanno supra alla tavola i sissanta euri che sunno la paga della prima simanata 'n chiesa.

Ma come si fa a campare in dù con deci euri al jorno? E come si pagano la luci, il gas, il tilefono, la televisioni e l'affitto?

«Ma come?» spia Lina taliannolo. «'Nveci d'essiri cuntento, t'infuschi?».

La virità è che si è sintuto distrubbato dal gesto di sò mogliere che ha posato supra alla tavola il dinaro facenno 'na facci ralligrata.

Certo che lei è contenta, quelli sunno i primi soldi che guadagna e accussì può aiutari la famiglia. Ma però non si renni conto che a fari quel gesto, per trent'anni filati, è stato lui.

E ora Tano si senti tanticchia umiliato a doviri dipenniri dalla mogliere. È come 'na perdita della sò dignità.

"E 'nfatti ogni omo che perdi il travaglio perdi macari un pezzo della sò dignità" pensa.

No, la facenna non gli piace per nenti. Abbisogna assoluto che trovi qualichi cosa da fari.

Quanno mancano dù jorni al pagamento dell'affitto, per fortuna ancora fermo a tricentocinquanta euri, e lui s'attrova sempri nella stissa condizioni di non aviri spranza di travaglio, addecidi di pigliare il treno, annare a Cartanisetta e vinnirisi il ralogio.

«È inutili pinsarici ancora, tanto, o prima o po', questa fini deve fari» dice a Lina.

«E vabbeni» fa sò mogliere sospiranno. E po', a dari cchiù forza al sò consenso: «A dicembriro arrivano macari le bollette».

«Indove te lo mittisti il ralogio?» gli spia Lina quanno lui, già vistuto, sta per nesciri.

«Unni mi l'avia a mettiri? 'N sacchetta».

«Quali?».

«'Nna sacchetta dei càvusi».

«Maria, no! Tutti e dù sfunnate erano e io li risarcii. Se si rompi la cusitura, ti perdi il ralogio».

Tano cava il ralogio 'ncartato nella carta velina, fa per mittirlo nella sacchetta della giacchetta.

«No!» sclama Lina.

«E pirchì?».

«Pirchì qualichiduno ti pò 'nfilari la mano nella sacchetta e addio ralogio».

«Me lo spieghi indove me lo devo mettiri?».

«Dintra al taschino, lì nisciuno te lo può arrubbare».

Alla stazioni, mentri che aspetta 'nzemmula a 'na

decina di pirsone il treno che porta come al solito ritardo, vidi arrivari affannati e di gran cursa a don Carluzzo e a sò mogliere Rita che si tirano appresso dù grosse baligie con le rotelle.

Don Carlo Rosales è stato, nell'ultimi deci anni, il capo dell'impiegati della flabbica. 'Na brava pirsona che travagliava sulo per il piaciri di travagliare, dato che la signura Rita è ricca di famiglia. Hanno un figlio unico, Giulio, che studia midicina a Bologna.

Appena che s'adduna di lui, don Carluzzo gli s'apprecipita.

«Meno mali che t'attrovai! Tò mogliere al tilefono mi disse che stavi partenno per Cartanisetta. Puoi rimannare 'sto viaggio?».

Tano lo talìa 'mparpagliato.

«Pirchì?».

«Ho bisogno di tia».

«Mi dicisse».

«Stamatina abbiamo arricevuto 'na tilefonata di un amico di nostro figlio. A Giulio l'hanno arricovirato allo spitali. Non è 'na cosa gravi, ma sarà longa. Io e mè mogliere stamo partenno per Bologna. Tu l'accanosci la casa che avemo 'n campagna?».

Chiamala casa! 'Na vera e propia villa antica. Lui l'ha viduta di fora, ma dicino che dintra ci stanno mobili e quatri preziusi.

«Sissi. L'accanoscio».

«Da tri jorni ci sunno i muratori con l'impalcatura per rifari tutto l'esterno. Appena che m'è arrivata la tilefonata, ho detto al capomastro di sospenniri tutto. Non posso lassari la casa senza che sia guardata mentri che ci travagliano loro, mi capisci? Io saccio che tu sei 'na pirsona onesta e mi fido di tia. Se tu accetti, io tilefono subito al capomastro che dumani a matino ponno ripigliari».

«Che devo fari?».

«Nenti. La matina alli setti ti fai attrovari lì e gli rapri il cancello. Alle cinco e mezzo, quanno finiscino di travagliare, chiui il cancello e tinni torni in paìsi. Ti dugno macari le chiavi della villa, vabbeni?».

«Vabbeni. E per quanto tempo vossia sinni starà a Bologna?».

«Di sicuro fino a doppo Natali. Ma mi farebbi commodo se tu annassi a dari un'occhiata alla casa oggi stisso. Non mi piaci che troppi pirsone sanno che semo partuti».

Si metti 'na mano 'n sacchetta, tira fora un mazzo di chiavi, gliele consigna. Po' cava il portafoglio, piglia tri fogli da cento euri, glieli proi e appresso gli duna macari un biglietto da visita.

«Ccà c'è scrivuto il nummaro del cellulari mè. Telefonami ogni sira dal tilefono della casa. Lo posso chiamari al capomastro?».

«Lo chiamasse».

Il treno sta arrivanno. Don Carluzzo finisci di parlari, gli dà la mano.

«Grazii di tutto».

«Gli porto io le baligie. Bon viaggio e aguri per sò figlio».

Rapre la porta di casa, Lina non c'è, di sicuro lo pensa 'n Cartanisetta. Sarà annata 'n chiesa a puliziare. Piglia i tri fogli di cento euri e l'assistema 'n fila supra alla tavola. Rimetti il ralogio dintra al cascione del commodino, nesci novamenti, chiui la porta. Acchiana supra alla lambretta e parti. La villa di don Carluzzo s'attrova a cinco chilometri dal paìsi.

Quattro

A Natali Lina non senti raggiuni, pripara il mangiari della sira della vigilia e quello di mezzojorno senza voliri sparagnari un euro, come se Tano travagliasse ancora alla flabbica. A mezzannotti, nescino dalla casa per annare ad ascutare la missa alla chiesa di San Giusippuzzo, l'unica funzioni alla quali vanno. A mità strata s'incontrano con 'Ntonio e sò mogliere. 'Ntonio dice d'aviri attrovato un travaglio provisorio al mercato.

«Notizie della pinsioni?» spia Tano.

«Passannaieri annai a Cartanisetta. Appena che fici il mio nomi all'impiegato e quello taliò la pratica, si misi a fari voci. "Si rende conto che è appena passato un mese? Vada via!". Io la cosa la vio malamenti».

«Macari io» dice Tano.

Quanno si vanno a corcari, Tano non arrinesci a pigliari sonno. Don Carluzzo gli ha fatto sapiri che torna il tri di ghinnaro, pirchì sò figlio Giulio veni a passare la cunvaliscenzia 'n paìsi. A ghinnaro at-

troverà un altro travaglio? Ce l'hanno fatta a pagari le bolletti, ma l'affitto di quattrocentocinquanta euro abbisogna consignarlo 'nticipato nella prima simanata di ghinnaro. Stavota è squasi certo che il ralogio arricivi il foglio di via. Tutto 'nzemmula gli veni 'n menti un pinsero: se non avissi spardato tanti sordi nella sò vita, a 'st'ora non avrebbi probbremi. Pri sempio, che bisogno c'era di annare 'na vorta al misi al ginematò quanno in casa avivano la tilevisioni? Che bisogno c'era d'annare ogni sabato sira al cafè di Masino a jocare a trissette e briscola con l'amici spinnenno un sacco di sordi in cafè e bicchierini? E quella volta che l'ingigneri lo mannò in Sguizzera con 'Ntonio e 'Ngilino a farici vidiri come si montavano le mattonelli? Si lassò persuadiri da 'Ntonio e annò con lui in un certo posto indove si viviva a tinchitè e c'erano fìmmine che firriavano mezze nude 'n mezzo ai tavolini. 'Nzumma, a farla brevi, lui s'imbriacò e po' s'attrovò nudo supra a un letto con una di 'sti fìmmine. La sirata gli costò la paga di 'na simana.

Ma ora, a ripinsarici, non sulo gli veni raggia d'essiri stato accussì stupito, ma prova rimorso per aviri traduto a Lina. Che propio non se lo miritava. Corcannosi con quella fìmmina, ha dimostrato di non essiri digno di 'na mogliere come a Lina. Che se non fusse per lei che senza diri né ai né bai ogni jorno va a rompirisi la schina a puliziare la chiesa... Di colpo, lo piglia 'na botta di commozioni. Si senti l'occhi vagnati. Senza arriflittirici, scutulia per un vrazzo a Lina. Quella s'arrisbiglia, tanticchia scantata:

«Che fu? Ti senti bono?».

«Sì. Ti voglio diri 'na cosa».

«Dimmilla».

«'Na vota ti misi le corna con una buttana».

«Quanno?».

«Squasi vinticinco anni fa, in Sguizzera».

«Vinticinco anni fa? In Sguizzera? E tu m'arribisgli per contarimillo ora? Ma stai niscenno pazzo? Dormi, va', che è meglio».

Don Carluzzo, ringraziannolo, gli dice che ora alla villa ci abbaderà lui e gli metti 'n mano altri ducento euri. Che non abbastano a pagari l'affitto.

Epperciò 'na matina Tano sinni parte per Cartanisetta col ralogio 'ncartato nel taschino. Appena che arriva, va nel migliori negozio di ralogi e dice al commisso che voli parlari col propietario. Il signor Dibetta l'arricivi nel sò ufficio, lo fa assittare.

«Mi dica».

«Vorrei vinniri un ralogio».

Il signor Dibetta lo talìa strammato.

«Guardi, forse le hanno dato un'informazione sbagliata. Noi non compriamo e non vendiamo orologi usati».

«Mi scusasse» fa Tano susennosi.

«Aspetti. Così, per pura curiosità, me lo faccia vedere».

Tano lo tira fora, lo scarta, glielo proi. Quello lo piglia, accomenza a taliarlo. Pari 'ntirissato. Tano si senti sollivari il cori. Capace che il ralogio gli sta piacenno, macari se l'accatta per lui e non per il negozio.

«Posso aprirlo?».

«Facisse».

Il signor Dibetta rapre la cascia, 'nforca in un occhio 'na speci di tubo con una lenti, studdia l'ingranaggi. Po' richiudi la cascia e riduna il ralogio a Tano. Che talìa spiranzoso al signor Dibetta. Il quali pari tanticchia 'mpacciato.

«Mi scusi, quanto tempo fa l'ha comprato?».

«Passati deci anni».

«Posso chiederle quanto l'ha pagato?».

«Tricentomila liri».

Per la virità, a Lina disse che gli era costato centomila. L'unica farfantaria che le ha contato. Il signor Dibetta fa 'na smorfia.

«Dove l'ha comprato?».

«Stavo tornanno 'n treno da Napoli e ci stava un rappresintanti di questa casa di ralogi sguizzeri che parlava mezzo tidisco. Aviva 'na baligetta...».

Il signor Dibetta l'interrompi.

«Mi dispiace dirglielo, ma è falso. Benissimo

imitato, certo, ma sempre falso. L'hanno truffata. Se non mi crede, può farlo vedere ad altri».

Tano è ristato con la vucca rapruta. Il muro che gli è caduto di supra non ha fatto nisciuna rumorata, avi l'oricchi attuppati come quanno s'acchiana troppo in àvuto. E nel ciriveddro 'na speci di scruscio di mari 'n timpesta.

Accapisce che il signor Dibetta sta parlanno, ma le paroli non gli arrivano.

«Mi... mi scusasse, che sta dicenno?».

«Sto dicendo che siccome io colleziono orologi falsi e il suo è molto ben fatto, le posso dare cinquanta euro».

Fa 'nzinga di sì con la testa pirchì non può parlari. Si senti la gola arsa.

Quanno nesci dal negozio, per picca non va a finiri sutta a 'na machina.

Appena che conta a Lina quanto gli è stato pagato il ralogio, e pirchì, quella senza diri 'na parola si va a mettiri il cappotto.

«Indove vai?».

«Vaio a parlari alla signura Nunziata. Tu 'ntanto mangia».

Non sinni parla di mangiari da sulo. E po' non avi pititto, avi la vucca dello stommaco stritta come un pugno, ancora devi addiggirire la facenna del ralogio fàvuso.

Lina torna doppo un'orata.

«La signura Nunziata nni duna tempo fino alla fini del misi. Se non pagamo, al primo fevraro dovemo lassarle la casa».

Va 'n cucina, tira fora la pasta tinuta 'n càvudo dintra al forno.

«Non aio fami» dice Tano.

«E manco io. Ma abbisogna mangiari lo stisso».

Quanno finiscino, Tano vidi che Lina s'assetta vicino alla finestra e si metti a cusiri un paro di mutanne malannate.

«Non vai a travagliare?».

«È tornata la filippina».

Il che veni a significari che ora non hanno cchiù il dinaro manco per accattare le cose di mangiare.

Per fortuna, patre Ramunno, dù jorni appresso, chiama a Lina e le proponi di fari l'assistenzia a 'na signura malata, dalle otto del matino alli otto di sira. Lina accetta. Veni a diri che Tano si priparirà a mezzojorno il mangiare da sulo, alla sira 'nveci ci pinsirà lei. Ma la paga che le danno abbasta sì e no, e facenno assà attinzioni ai prezzi, ad accattare lo stritto nicissario per campare. E il gas, la luci, il tilefono? Tano, ora che è sulo, nesci la matina alle setti e si metti a circare travaglio. Ma non attrova nenti. Allura 'nforca la lambretta e sinni va nel paìsi cchiù vicino.

Ci torna per tri jorna di seguito, ma ci perdi la spisa della miscela. Un jorno addecide di annare a circare nelle campagne dei dintorni. E accussì, a meno di mezzo chilometro dal paìsi, facenno 'na strata stirrata mai fatta, si trova a passari davanti a 'na discarrica, un enormi munnizzaro chino chino macari di vecchi frigoriferi, di televisioni scassate, di carcasse d'automobili. Si ferma pirchì gli è vinuta un'idea. Forsi ci sta robba che si pò rivinniri. Macari mittennosi 'n società con 'Ngilino che possedi un furgoncino. Riparte, si fa quattro case di viddrani, tutti gli dicino che non hanno bisogno di manodopira. Tornanno, si riferma davanti alla discarrica. Senti un gran bisogno di un bicchieri d'acqua, il pruvolazzo della strata stirrata gli ha asciucato la gola. Talìa torno torno. A mano manca c'è 'na costruzioni vascia con un cancello che non s'accapisce che è. Ci s'arriva con una trazzera. La piglia con la lambretta, in tri minuti è davanti al cancello 'nserrato, ma allato c'è un pulsanti, lo premi. E subito si scatina un burdello d'abbaiate. Come minimo là dintra ci stanno 'na decina di cani. Forsi è un canili. Mezzo cancello si rapre, compare un signori bono vistuto.

«Desidera?».

«Per favori, volissi un bicchieri d'acqua».

«Aspetti qua. Non entri».

Non si catamina. I cani devono sintiri la sò prisenza pirchì stanno facenno un subbisso d'abbaiate.

«Eccole l'acqua» dice il signore riaprenno tanticchia il cancello.

Tano stenni la mano ma non fa a tempo ad agguantari il bicchieri pirchì un cani enormi sàvuta fora e fa per muzzicargli 'na gamma. Tano d'istinto si tira narrè e il cani gli addenta la scarpa. Il signori allura si metti a fari voci in tidisco al cani e nello stisso tempo gli ammolla un gran càvucio nella panza. L'armàlo lassa la scarpa e sinni scappa dintra. Tano prova dolori al pedi. Il signuri gli fa livari la scarpa e la quasetta. Non c'è sangue, per fortuna il corio della scarpa ha firmato i denti.

«Aspetti qua. Voglio vedere meglio il piede» dice il signori trasenno e chiuienno il cancello.

Tano senti che grida ordini in tidisco. Doppo tanticchia il signori ricompari.

«Può camminare?».

«Sissi».

«Mi segua».

Zoppichianno, Tano gli va appresso. Ora è dintra a un granni spiazzo circondato da un muro àvuto. Ci stanno dodici cani, ognuno dintra alla sò casuzza. A mano dritta c'è 'na costruzioni in muratura, 'na speci di magazzino. Il signori ci trase seguito da Tano, lo fa assittare supra a 'na seggia, s'accula, gli talìa il pedi, glielo manìa.

«Per fortuna non è riuscito a morderlo» dice sollivato. E po' s'apprisenta.

«Sono il dottor Benincasa. Sono un appassionato di cani di razza. Mi scuso per quello che è accaduto. A proposito, le vado a prendere l'acqua».

Torna doppo tanticchia, Tano si vivi il bicchieri sano sano e per la siti di prima e per lo scanto di doppo.

«Senta» ripiglia il signori «lei è di qua?».

«Sissi».

«Mi potrebbe segnalare una persona disposta ad occuparsi dei miei cani? Vede, non si tratta solo di dargli da mangiare, ma di sorvegliarli anche di notte. Bisognerebbe insomma che la persona dormisse qua, in questo magazzino che naturalmente farei mettere in ordine».

«Mi scusasse» spia Tano. «Pirchì uno ci devi stare macari la notti?».

«Perché m'hanno già rubato tre cani e per riaverli ho dovuto pagare una cifra enorme».

L'indomani a matino Lina veni a visitari il loco. Il dottori Benincasa li aspetta. Lina talìa il magazzino, dice che va beni. E si fa riaccompagnari 'n lambretta per annare a dari adenzia alla malata. Tano affitta il furgoncino da 'Ngilino e fa il trasloco di sulo il nicissario. Tempo 'na simanata, travaglianno macari la notti, arrinescino a trasformari il magazzino in una granni càmmara indove ci si può fari tutto, cucinari, mangiari e dormiri. Lina metti macari le tendine alle dù finestrelle. Attaccato darrè al magazzino c'è puro un cesso alla turca col lavandino. Tano va alla discarrica e arrecupera 'na tazza e un bidè. Assistema tutto con le sò mano.

Ora ogni matina accompagna a Lina in pàisi con la lambretta e po' la sira la va a ripigliari. Nelle prime nuttate, l'unica camurria è stata l'abbaiata dei cani, ma po' ci si sunno abituati, pirchì a tutto, con tanticchia di bona volontà, l'omo s'abitua. Se la passano boniceddri. Dalla carni che lui accatta un jorno sì e uno no per i cani, Lina taglia dù fettini e se le fanno o fritte o arrostute. È carni di scarto, ma sempri carni.

Ma 'na notti che i cani abbaiano cchiù forti, Lina s'arrisbiglia e accapisce che Tano si è susuto dal letto, è nisciuto fora. Che sta succidenno? Si susi macari lei, nesci.

C'è luna piena, fa 'na luci che pare jorno. E allura vidi a sò marito, 'n mezzo allo spiazzo, mittuto a quattro zampi, che abbaia alla luna.

Come un cani.

"Sfogati, marito mè, sfogati" pensa.

E torna a corcarisi.

La targa

Uno

La sira dell'unnici di jugno del milli e novicento e quaranta, vali a diri il jorno appresso alla trasuta 'n guerra dell'Italia allato all'alliata Germania, nel circolo Fascio & Famiglia di Vigàta comparse 'mproviso Micheli Ragusano.

Naturalmenti squasi nisciuno jocava, tutti stavano a parlari 'nfervorati di quello che era capitato il jorno avanti, quanno il paìsi 'ntero, vecchi, picciotti, fìmmine e picciliddri e pirsino malati che per la granni occasioni avivano lassato il letto, era scasato per scinniri 'n piazza ad ascutari il discurso di Mussolini trasmesso dall'altoparlanti.

E appena che aviva finuto di parlari Mussolini era successo il viriviri, il quarantotto, il tirribilio, tutti a fari voci di «A morti la Francia!», «A morti l'Inghilterra!», «Viva il Duce!», «Viva il fascismo!», e le pirsone parivano 'mbriache d'alligrizza e ballavano e satavano e cantavano 'ntusiasti «Giovinezza, giovinezza», come se la guerra fusse la vincita di 'na quaterna al lotto.

Erano cinco anni e passa che Micheli Ragusano ammancava da Vigàta, eppuro manco uno che fusse uno della vintina di soci che sinni stavano a jocare o a chiacchiariare ricambiò il sò saluto o gli spiò come se l'era passata in tutto quel tempo.

Il fatto era che quei cinco anni Ragusano sinni era stato confinato a Lipari, 'n seguito a una connanna avuta come «diffamatore sistematico del glorioso regime fascista» epperciò non era prudenti ammostrarisi in confidenzia con lui, tanto cchiù che quella sira era prisenti macari Cocò Giacalone, un omo granni, grosso e manisco che era cognito essiri 'na spia del Fidirali e dal quali macari i fascisti cchiù fidati si quartiavano dato che era capace della qualunque.

Micheli Ragusano, che quell'accoglienza se l'aspittava, senza diri né ai né bai annò alla rastrillera dei giornali, sinni pigliò uno e s'assittò a un tavolino mittennosi a leggiri.

Fu a questo punto che Cocò Giacalone si susì, la facci 'nfuscata, s'avvicinò a don Filippo Caruana, il presidenti del circolo, che si stava facenno la solita partita di trissetti e briscola, e gli parlò concitato all'oricchio.

«Ma è propio nicissario?» spiò dubitativo don Filippo.

«Nicissarissimo!» replicò duro Giacalone.

«Ora?».

«Ora!».

Don Filippo posò a lento le carti, si susì di malavoglia, annò al tavolino indove stava Ragusano e dissi, mentri che nel saloni tutti 'ntirrompivano il joco o la finivano di chiacchiariari e stavano a taliare quello che stava capitanno: «Michè, tu ccà non ci puoi stari».

«Pirchì? Moroso sugno?».

«No».

«E 'nfatti mè mogliere mi dissi che ha sempri pagato le quoti annuali d'iscrizioni».

«Vero è. Ma non si tratta delle quoti, ma del fatto che sei stato radiato da socio».

«Radiato? E da quanno?».

«Tri jorni doppo che sei stato mannato al confino, l'assemblea dei soci, appositamenti arreunita su proposta di Cocò Giacalone, all'unanimità, ha addeciso che tu non eri cchiù digno di farne parti».

«Accussì sta la cosa?».

«Accussì».

«E vabbeni» fici frisco frisco Ragusano «levo il distrubbo. Bonasira a tutti».

«Un momento!» 'ntirvinni don Manueli Persico.

Ragusano ristò susuto a mezzo. Tutti s'apparalizzaro.

Omo arrivirito e arrispittato, don Manueli Persico, 'ntiso 'u nonno, aviva novantasetti anni e assimigliava cchiù a uno schelitro caminante, sia puro uno schelitro con una gran varba bianca, che a un omo. Era talmenti peddri e ossa e pisava tanto picca ma tanto picca che quanno tirava tramontana usava mittirisi 'n sacchetta a dù petre grosse per non farisi strascinari 'n celo dal vento. Ma aviva 'na voci ancora potenti.

Nel milli e novicento e vintidù, a sittant'anni passati, era stato squatrista arraggiato, col manganello e l'oglio di ricino, e si era fatto la marcia su Roma. Binito Mussolini, che l'aviva notato, l'aviva acchiamato «nonno» e aviva voluto che sfilassi 'n prima fila, subito appresso ai quatrumviri della rivoluzioni, a braccetto di un giovane fascista manco diciottino.

Da allura era stato un fascista firventi, sempri 'n prima linia nelle manifestazioni e sempri pronto a mittirisi la cammisa nìvura a ogni occasioni. Aviva fatto dimanna di volontario nella guerra contro i bissini e in quella contro i comunisti spagnoli, ma le dimanne erano state arrefutate a scascione dell'età avanzata. Era a lui che attoccava l'onuri di diri nell'adunate: «Camerati, saluto al Duce!».

E la folla arrispunniva: «A noi!».

«Gravi scorrittizza vinni fatta!» proclamò don Manueli.

«Verso chi?» spiò don Filippo.

«Verso il qui prisenti Micheli Ragusano».

«Si spiegasse meglio».

«Prima di tutto vi voglio arricordari che il vero fascista è leali con l'avvirsario e giniroso con l'avvirsario vinto!».

«E questo lo sapemo» disse don Filippo.

«Lo sapiti, ma non lo mittiti 'n pratica. Aviti avvirtuto a Ragusano che era stato radiato?».

«Mi pari di no» fici don Filippo.

«E pirchì?».

«Ci passò di menti».

«E questa è stata la prima scorrittizza. Passamo alla secunna. Non essenno stato avvirtuto, Ragusano, tramiti sò mogliere, ha continuato a pagari le quoti d'iscrizioni. È accussì?».

«È accussì» ammisi don Filippo.

«E allura v'addimanno: aviti rimannato narrè le quoti annuali o ve le siete 'ncamerate a taci maci?».

Don Filippo aggiarniò.

«Io non mi occupo della contabilità del circolo. Per questo c'è il raggiuneri Cosentino».

Gnazio Cosentino, a sintirisi tirato 'n mezzo, si susì di scatto russo 'n facci.

«Non jocamo a futticompagno! Ognuno si pigli le sò risponsabilità! Io non ho arricivuto nisciun ordini di restituiri le quoti alla mogliere di Ragusano e vi fazzo macari prisenti che io sugno socio da quattro anni e che perciò non c'ero quanno addecidistivo la radiazioni! Io di 'sta facenna non ne sapivo nenti di nenti!».

«È chia... chiaro che si è trattato di 'na svista, di un equivoco» disse tanticchia 'mpacciato don Filippo.

«Non lo metto in discussione» fici don Manueli «la vostra corrittizza è al di supra d'ogni dubbio. Ma è altrettanto chiaro che il signor Ragusano non può essiri allontanato senza che prima gli sia arristituito sino all'urtimo cintesimo!».

«Quanto dobbiamo al signore?» spiò don Filippo a Cosentino per levari subito le cose di 'mmezzo.

«Cento liri».

«Gliele dia».

«Spiacenti, ma non li ho 'n cascia. Domani a matino, appena che rapre la banca...».

«Allura non ci semo caputi» 'ntirvinni don Manueli. «Il signor Ragusano non può essiri allontanato senza i dinari che gli spettano. Epperciò facemo ora stisso 'na colletta!».

Si susì, pigliò un grosso posacinniri pulito, ci misi dintra cinco liri, chiamò a Cosentino e gli dissi, pruiennogli il posacinniri: «Continuate voi».

Tempo deci minuti le cento liri vinniro cogliute.

Cocò Giacalone allura levò il posacinniri dalle mano di Cosentino, ci sputò dintra e lo posò supra al tavolo davanti a Ragusano.

«Pigliati il dinaro, bastardo!».

Ragusano, che duranti tutta la discussioni sinni era ristato sempri addritta con un mezzo sorriseddro supra le labbra, dissi: «Il dinaro vi lo rigalo, mannatilo a Mussolini accussì s'accatta 'na cartuccia per spararla contro al catafero della Francia che è stata già ammazzata dai tedeschi. In quanto a voi, caro don Manueli Persico, ricambio la cortesia cusennomi la vucca e non dicenno quello che su di voi ho saputo al confino».

Tutti appizzaro l'oricchi.

«Che... che aviti saputo?» spiò battagliero don Manueli, tintanno di susirisi, ma ricadenno nella seggia subito appresso per via che le gamme gli erano addivintate di ricotta.

«Vi dissi che non parlo».

«Parlati, si nni aviti il coraggio!».

«Muto sugno!».

«Ecco cosa siti voi antifascisti di merda!» scattò don Manueli. «Genti fitusa che metti 'n giro sparle, filame e chiacchiere... Genti senza dignità, senza onuri, che muzzica la mano che gli duna il pani! La morti vi miritati e no 'u confino!».

«Il nomi di Antonio Cannizzaro vi dice nenti?» gli spiò Ragusano a mezza voci taliannolo nell'occhi.

Appuiannosi con tutta la forza ai braccioli della seggia don Manueli arriniscì a mittirisi addritta. Stinnì il vrazzo con l'indici puntato come se era un revorbaro.

«Questa è 'na 'nfami...».

Il «tà» finali vinni soffocato da dù colpi di tossi. Doppodiché don Manueli ricadì assittato, piegò la testa di lato, chiuì l'occhi e non si cataminò cchiù.

«Chi succedi, s'addrummiscì?» spiò strammato Cocò.

Il dottori Alletto fici un sàvuto, pigliò il polso di don Manueli, po' s'agginocchiò e gli misi l'oricchia supra al cori. Stetti tanticchia a sintiri, appresso si susì, scotì sdisolato la testa e dissi: «Morto è».

Cocò fici 'na vociata bestiali arrivolto a Ragusano: «Assassino!». E gli mollò un gran pugno 'n facci. Ragusano volò per mezzo saloni e appena che attirrò Cocò gli fu novamenti di supra massacrannolo a càvuci unni veni veni, 'n facci, 'n petto, 'n panza.

Dù affirraro a Cocò per le spalli e se lo volivano strascinare ma non ce la ficiro. Pariva un toro arraggiato. Dava càvuci e arripitiva: «Assassino! Assassino!».

Po' finalmenti uno dei soci corrì a chiamari i carrabbineri che arristarono a Ragusano cchiù morto che vivo.

Due

I funerali di don Manueli Persico foro sullenni.

Proclamato il lutto citatino, la matina del jorno appresso la sò morti il catafero vinni portato nella Casa del Fascio di Vigàta indove che era stata approntata la càmmara ardenti tutta tappizzata di fasci, labari, gagliardetti e fotografii del duce.

Un picchetto d'onori di fascisti 'n divisa e armati di moschetto stava 'n pirmanenza ai quattro lati del catafalco.

C'era stato un probrema che però era stato prontamenti e filicimenti arrisolto.

Naturalmenti a don Manueli era stata mittuta la cammisa nìvura, la stissa che aviva 'ndossato per la marcia su Roma e che tiniva come a 'na reliquia.

Senonché ci si era addunati che la gran varba bianca del vecchio cummigliava completamenti la cammisa che perciò avrebbi potuto essiri 'ndifferentementi nìvura o gialla o virdi tanto non si vidiva l'istisso.

«Ennò!» protestò Cocò Giacalone. «Abbisogna attrovare un rimeddio! Tutti devono vidiri che il sò urtimo disiderio, come annava arripitenno sempri, e cioè d'essiri seppelluto 'ndossanno la cammisa fascista, noi l'avemo fascisticamenti arrispittato!».

La soluzioni l'attrovò il Fidirali 'n pirsona, vinuto apposta da Montelusa per fari omaggio al camerata scomparso.

Ordinò che dù giovani fascisti, a turno, con una mano tinissiro sollivata la varba del catafero 'n modo che accussì si vidiva che portava la cammisa nìvura.

Il circolo Fascio & Famiglia mantinni dù jorni di chiusura per lutto.

La sira che si raprì novamenti i soci via via che arrivavano apprinnivano che il presidenti don Filippo Caruana aviva indetto per le novi di quella stissa sira, ura nella quali in genere tutti i soci erano prisenti, un'assemblea ginirali straordinaria.

«Camerati» principiò don Filippo «ho indetto questa assemblea straordinaria su richiesta della metà più uno dei soci come stabilisce il regolamento. E dato che Cocò Giacalone ne è stato il promotore, cedo a lui la parola».

Cocò si susì a parlari emozionato.

«Per prima cosa vi voglio dire che l'assassino Michele Ragusano, attualmente nell'infermeria del carcere di Montelusa, è stato deferito al Tribunale speciale fascista per la difesa dello Stato. Ho saputo da fonte certa che il camerata giudice istruttore sarebbe orientato a chiedere per Ragusano la pena di morte mediante fucilazione alla schiena in quanto il Ragusano avrebbe a bella posta provocato il nostro povero don Emanuele Persico, quasi centenario epperciò di cuore debole, per causarne il decesso. In parole povere, questo viene a significare che Michele Ragusano è un assassino. Come ho sostenuto io fin dal primo momento. Ora, se Ragusano è un assassino, ci deve per forza essere un assassinato, una vittima. E chi è questa vittima? Il nostro caro e amato camerata don Emanuele Persico. E che faceva don Emanuele Persico un attimo prima di morire? Stava difendendo se stesso in quanto fascista e il fascismo dai volgari insulti di un delinquente antifascista. Possiamo dunque noi sostenere che don Emanuele Persico è una vittima dell'antifascismo? Io penso, camerati, che lo possiamo sostenere. E non possiamo di conseguenza sostenere che la morte sul campo del camerata Persico è paragonabile alla morte di martiri fascisti come Giovanni Berta o il nostro Gigino Gattuso? Io penso che lo possiamo sostenere. Dunque il glorioso nome di Emanuele Persico è da scrivere nel pantheon dei martiri fascisti. Chi non è d'accordo con me alzi la mano».

Si susì 'na sula mano, quella dell'avvocato Arturo Pennisi.

«Camerata, avete la parola» dissi don Filippo.

«Premesso che io mi trovo perfettamente d'accordo col camerata Giacalone sul fatto che il camerata Persico sia morto per difendere la causa fascista, devo dichiarare che, a parer mio, una cosa è essere ammazzato con un colpo di revolver e un'altra è morire per un colpo apoplettico. Tutto qua. Perciò...».

«Vorrei ricordare all'egregio avvocato Pennisi che il proverbio dice che ne uccide più la parola che la spada» 'ntirvinni l'avvocato Seminerio.

«Il mio illustre collega sta sbagliando citazione. Il proverbio dice che ne uccide più la gola che la spada» ribattì Pennisi.

«Insomma, avvocato, qual è la sua conclusione?» spiò il presidenti.

«Io dico che sarebbe più giusto definire don Emanuele un caduto sul campo, senza usare la parola martirio».

«Ma sul campo è troppo generico!» obbiettò Cocò. «Qualcuno potrebbe pensare che è caduto su un campo di calcio o su un campo di grano o che so io».

«Si potrebbe forse dire: caduto per la causa fascista» suggirì il dottori Alletto.

Nisciuno ebbi a ridìri su 'sta definizioni. Cocò ripigliò la parola.

«La mia proposta, alla quale ho pensato a lungo, è che tutti i soci firmino una petizione al Podestà perché una delle più centrali strade di Vigàta sia intitolata a “Emanuele Persico – Caduto per la causa fascista”, e una seconda petizione sia inviata al Federale perché scriva a Sua Eccellenza Benito Mussolini acciocché la povera vedova del nostro camerata Persico, alla quale tutti noi inviamo le nostre più sentite e affettuose condoglianze, possa ricevere la pensione che giustamente spetta ai caduti per la rivoluzione fascista».

Tutti s'addichiararo d'accordo. Il profissori Ernesto Larussa, che 'nsignava taliàno al liceo di Montelusa, vinni 'ncarricato dal presidenti di scriviri le dù petizioni.

Ora abbisogna sapiri che la povira vidova di don Manueli Persico si chiamava Anna Bonsignore, aviva vinticinco anni ed era 'na biddrizza da fari spavento.

Maritatasi nel ghinnaro del milli e novicento trentasei, qualichi misata appresso sò marito sinni era partuto volontario per la guerra di Spagna e nel ghinnaro dell'anno doppo era morto al fronti, ammazzato dai rossi spagnoli.

Allura don Manueli Persico, per pura ginirosità fascista, come aviva addichiarato a dritta e a manca, si era offerto di maritarisilla e lei aviva accittato. Naturalmenti le nozzi, come sapiva tutto il paìsi, erano state sì celebrate, ma non consumate dato che don Manueli aviva abbunnantementi superato l'età valida per la bisogna. Tanto che dormivano 'n càmmare siparate.

Non c'era omo di Vigàta che ogni tanto, soprattutto la notti, non pinsasse alla biddrizza spardata della picciotta, sula dintra al sò letto e certo ancora cchiù sula al ricordo del primo marito, un picciotto trentino stazzuto e forti come un tauro, il quali, nei picca misi del loro matrimonio, praticamenti la notti non le aviva mai fatto chiuiri occhio.

Ma nisciuno s'azzardava a dari 'na scotolata all'àrbolo per fari cadiri quel piro dal ramo, piro che non aspittava altro che cadiri, in quanto il rispetto addovuto a un fascista come a don Manueli era granni assà.

Il matino appresso, che erano passate le deci e la cammarera era appena nisciuta per fari la spisa, la povira vidova, sintenno tuppiare, annò a raprire in vistaglia e s'attrovò davanti a Cocò Giacalone.

Lo fici accomidari 'n salotto. Cocò le arriferì il discurso fatto al circolo e le dissi che di sicuro la proposta di pinsioni sarebbi passata.

La povira vidova si misi a chiangiri.

«Ah! Lu mè Manueli, mischino! Quant'era bono! Quanto mi voliva beni! Chiossà d'una figlia!» sospirò tra le lagrime.

Cocò le si 'nginocchiò davanti, tintò di consolarla. Lei chiuì l'occhi e si lassò consolari.

La cammarera alle dù di doppopranzo sinni ghiva. Alli tri sonaro alla porta, la signura Anna annò a rapriri 'n vistaglia e s'attrovò davanti al professori Ernesto Larussa. Lo fici accomidari 'n salotto.

«Sono venuto a leggerle la prima petizione, quella rivolta al Podestà per l'intitolazione di una strada a suo marito».

«Mi la liggissi».

Il profissori gliela liggì. La povira vidova si misi a chiangiri.

«Ah! Lu mè Manueli, mischino! Quant'era bono! Quanto mi voliva beni! Chiossà d'una figlia!» sospirò tra le lagrime.

Il profissori le si 'nginocchiò davanti, tintò di consolarla. Lei chiuì l'occhi e si lassò consolari.

Alla fini della consolazioni, che fu longa e variata, il profissori le spiò: «Posso venire domani a leggerle la seconda petizione?».

«Facemu alla stissa ura?» proponì la povira vidova.

Il profissori confidò in gran sigreto al sò amico stritto, il dottori Alletto, come e qualmenti il piro era caduto dal ramo e come lui se l'era mangiato con tutta la scorza.

La notizia il dottori la pigliò come 'na cutiddrata al petto. L'anno avanti aviva dovuto visitari la non ancora vidova che aviva dolori al petto e da allura se l'insognava ogni notti. Maria, che corpo che aviva! Maria, che pelli di villuto! Ah, potirla tiniri abbrazzata stritta stritta, e po' liccarisilla adascio adascio come un gilato e po'... Di questa passioni non ne aviva parlato con nisciuno, manco col professori. La prima cosa che pinsò fu: "Pirchì lui sì e io no?".

Accussì, dù jorni appresso, s'apprisintò verso le deci e mezza di matina 'n casa della vidova. Aviva visto nesciri la cammarera e pinsava perciò che il tirreno era libiro.

La vidova, che si era appena corcata con Cocò, spiò: «Chi fazzo? Rapro o no?».

«Vacci, ma non fari trasire a nisciuno, liquitalo subito».

La vidova, che era nuda, si 'nfilò la vistaglia e annò a raprire.

«Sono venuto per vedere come stava dopo la perdita di suo marito» fici il dottori.

«Sto beni e non ho bisogno di voi» dissi la vidova chiuiennogli la porta 'n facci.

Il dottori prima arrussicò, po' aggiarniò e 'nfini giurò di vinnicarisi.

Passato appena un misi, ci fu la cirimonia, semprici e commoventi, dell'intitolazioni della strata a don Manueli. La targa, con la scritta «Via Emanuele Persico – Caduto per la causa fascista», che era cummigliata dalla bannera triccolori, vinni scummigliata dalla vidova sorretta da un lato da Cocò Giacalone e dall'autro dal profissori Ernesto Larussa.

Tutti ficiro il saluto romano e la banna municipali attaccò «Giovinezza, giovinezza», che vinni cantata 'n coro.

Dù misi appresso arrivò alla vidova la littra con la quali le viniva assignata la pinsioni privilegiata.

La signura Anna, accompagnata da Cocò e dal profissori, si recò al circolo di pirsona per ringraziari i soci che avivano firmato la petizioni per la pinsioni.

Ci fu 'na bicchirata e po' la vidova volli vidiri il posto priciso indove che era morto il sò poviro marito.

L'accontintaro. Misiro la seggia coi braccioli al posto solito indove la tiniva don Manueli e gli rappresentaro la scena. Cocò, mentri la vidova chiangiva, fici la parti di Micheli Ragusano e il profissori quella di don Manueli.

Tre

Fu in quel priciso momento che il dottori Alletto s'arricordò della frasi che aviva ditto Micheli Ragusano e che tutti, a quanto pari, o se l'erano scordata o non ci avivano fatto caso. La frasi era precisamenti questa:

Il nomi di Antonio Cannizzaro vi dice nenti?

Quelle otto paroli erano state come otto colpi di revorbaro che erano annate tutte a birsaglio. Che vinivano a diri? Ma un significato, e un significato tirribili, lo dovivano aviri se di certo quelle paroli avivano fatto pigliare un colpo mortali e 'stantaneo a don Manueli.

Ristò tutta la notti vigliante per arrinesciri a capiri come fari per sapirne chiossà. All'alba attrovò la soluzioni. L'unica era d'annare a parlari con la pirsona che quelle paroli aviva ditte, Micheli Ragusano, che 'ntanto era stato cunnannato a quinnici anni e s'attrovava nel carzaro di Ventotene.

Non gli vinni facili ottiniri il primisso, pirchì non era né il sò avvocato né un sò parenti. Ma alla fini, con la raccomannazioni di un lontano zio che era un pezzo grosso al Ministero di Grazia e Giustizia a Roma, arriniscì ad aviri l'autorizzazioni a un sulo incontro. Nisciuno 'n paìsi seppi il vero scopo della sò partenza, a tutti Alletto dissi che annava a trovari a un vecchio parenti 'n punto di morti.

E fu accussì che 'na matina il dottori s'attrovò facci a facci con Micheli Ragusano. Essenno medico, notò subito che il carzarato stava mali assà.

«Che aviti?».

«I càvuci che arricivitti al circolo mi rompero le costoli e mi perforaro i purmuna. Sputo sangue matina e sira. Mi stanno facenno moriri a rilento. Che voliti di mia?».

«Lo sapiti che a Manueli Persico...».

«Tutto saccio di 'ste buffonate» l'interrompì Micheli. «La strata dedicata a lui, la pinsioni privilegiata alla sò vidova... Me le scrive mè mogliere».

«Ecco: io vorria addimostrari che 'st'onoranze sunno propio buffonate».

«E come?».

«Se voi mi spiegate bono chi è Antonio Cannizzaro e pirchì don Manueli sinni arrisintì tanto...».

La facci di Micheli Ragusano addivintò di petra.

«No» dissi.

«Ma pirchì?!».

«Pirchì quel jorno Manueli Persico, a modo sò, m'addifinnì. E perciò io non aio nenti da dirivi».

«Ma scusati...».

«Mi dispiaci, ma io aio 'na parola sula. Bongiorno» tagliò corto Ragusano.

Chiamò la guardia e si fici riportari 'n cella.

Per un misi 'ntero il dottori Alletto si mangiò il ficato. Non ci potiva sonno al pinsero del refuto arricivuto da Ragusano. Era sempri nirbùso, trattava malamenti i malati, aviva perso il pititto. E tanto cchiù lui addivintava giarno e malatizzo, tanto cchiù la vidova Persico assimigliava sempri chiossà a 'na rosa radiosa, e il dottori ne sapiva il pirchì attraverso i resoconti particolareggiati che gli faciva il profissori, ignaro però che la rosa viniva abbonnannementi 'nnaffiata macari da Cocò. Po', quanno oramà ci aviva perso ogni spranza, arricivì 'na littra da Ventotene.

Prima di raprirla, dovitti farisi passari il trimolizzo delle mano vivennosi 'na cicaronata di camomilla.

Egregio dottore,

il medico del carcere, dopo un consulto con un collega, mi ha fatto chiaramente capire che sono arrivato alla fine della mia vita. È questione di qualche settimana. Quindi mi sento sciolto dall'impegno morale che avevo preso nei riguardi di Emanuele Persico.

I fatti sono questi. Nel novembre del 1921 Persico si trovava a Marsiglia insieme a un amico, Carlo Miraglia, dove svolgeva attività non chiare.

Sia Persico che Miraglia militavano nell'ala estremista del partito socialista e più volte erano venuti alle mani con alcuni simpatizzanti fascisti di nazionalità italiana. Una notte, nel corso di uno scontro coi fascisti in una strada poco frequentata e pochissimo illuminata, Persico sparò, uccidendolo, il trentenne fascista Antonio Cannizzaro, sposato e padre di un bambino di tredici anni, col quale spesso e volentieri si scontrava venendo più volte alle mani.

Carlo Miraglia, che gli stava a fianco, invece venne colpito alla testa da un fascista e cadde a terra privo di sensi.

Si sentirono vicini i fischietti della polizia e tutti, salvo Persico, si diedero alla fuga. Rimasto solo, Persico mise il suo revolver nella mano di Miraglia e poi scappò anche lui.

Conclusione: Miraglia stette un anno in coma, quando si risvegliò non ricordava assolutamente niente e venne condannato per l'omicidio di Cannizzaro. Ma assieme a Persico e a Cannizzaro c'erano altri tre socialisti, uno dei quali, Giacomo Russo, riparato in un portone, assistette non visto all'ignobile gesto di Persico che scaricava la colpa dell'omicidio su Miraglia. Durante il processo i fascisti coinvolti nello scontro testimoniarono che assieme a Miraglia c'erano altri quattro socialisti che non riuscirono a identificare dato che li conoscevano solo di nome.

Sul fatto che fosse stato Miraglia a uccidere Cannizzaro, nessuno ebbe il minimo dubbio. Solo al termine della sua vita, così come sto facendo io, Russo si decise a scrivere una lunga lettera al figlio di Miraglia nella quale raccontava com'erano andati realmente i fatti. Il figlio di Miraglia, Augusto, tentò di far riaprire il processo, ma la sopravvenuta morte del padre estinse il procedimento di revisione.

Questo mi è stato personalmente raccontato al confino di Lipari da Augusto Miraglia, il quale non sospettava minimamente che l'assassino di suo padre era diventato un fervente fascista. Mi mostrò anche la lettera che gli aveva mandato Russo. A ogni buon conto, le accludo l'indirizzo di Augusto Miraglia. Spero di esserle stato utile. Addio.

Michele Ragusano

Senza perdiri un minuto, il dottori scrissi ad Augusto Miraglia. Ebbi pronta risposta: Miraglia, addesideroso com'era di vinnicare il patre, spidiva al dottori macari la copia fotografica della littra di Russo.

Prima di fari 'n autro passo, il dottori annò a Montelusa a spiare consiglio a Tano Gangitano, un amico avvocato. Gli contò tutta la storia di Manueli Persico e gli detti a leggiri le dù littre. Alla fini, Gangitano storcì la vucca.

«Che c'è?».

«C'è che il punto non è questo».

«Come non è questo?!».

«Amico bello, se si mettono a spaccare il capello in quattro, potranno sempre sostenere che Persico è vero che nel 1921 era socialista, ma che dopo aver visto Miraglia assassinare Cannizzaro aveva avuto una crisi di coscienza, aveva provato un tale rimorso da convertirsi al fascismo. E le cose resteranno come sono ora».

«E allora che si può fare?».

«Tu mi hai detto che si pensava che prima del processo a Ragusano l'accusa era orientata a chiedere la pena di morte per omicidio, poi invece Ragusano è stato condannato a quindici anni».

«E che significa?».

«Qualcosa nell'accusa non ha funzionato. A questo punto, è essenziale conoscere il dispositivo della sentenza. Portamelo e vedrò che si può fare».

Il dottori quel jorno stisso annò a trovari alla mogliere di Ragusano e si fici dari il nomi e l'indirizzo dell'avvocato che aviva addifinnuto a sò marito davanti al Tribunali spiciali. Appena che l'ebbi, scrissi all'avvocato.

Che a giro di posta gli mannò la sintenza. Il Tribunali non aviva accittato la tesi dell'accusa che era d'omicidio premeditato, e l'aviva derubricata in omicidio preterintenzionale, vali a diri che le paroli di Ragusano avivano provocato sì la morti di

Persico, ma l'avivano causata «accidentalmente, e al di fuori di ogni preconcetta volontà d'uccidere».

«Certo che quindici anni per un omicidio preterintenzionale compiuto a parole sono un po' troppi» commentò l'avvocato Gangitano. «Ora bisogna vedere com'è meglio procedere. Non bisogna sbagliare la mossa. Tu che intenzioni hai?».

«Io voglio fare causa a tutti i soci del circolo, sono loro che hanno messo in moto la faccenda».

«Ti faccio notare che tu, in qualità di socio, hai firmato le due petizioni. Non puoi fare causa a te stesso».

«Che c'entra! Io allora non sapevo...».

«Levami una curiosità. Ma tu perché sei tanto accanito personalmente contro la memoria di don Emanuele?».

Il dottori arrussicò, ma quella dimanna se l'aspittava epperciò detti la risposta che si era priparata da tempo.

«Io lo faccio... in nome della verità!».

«Allora siamo fottuti» concludì Gangitano.

Doppo un'orata di discussioni, il dottori accittò la proposta dell'avvocato di scriviri 'na littra al Fidirali nella quali diciva che, vinuto casualmenti 'n posesso di documenti compromettenti, riteneva suo dovere di perfetto fascista eccetera eccetera.

Ma duranti la nuttata il dottori ci ripinsò. E se il Fidirali ghittava la littra nel cistino e ti saluto e sono? No, la meglio era di fari 'no scannalo pubbrico mantinennosi però prudenzialmenti scognito.

L'indomani doppopranzo pigliò la sò machina e sinni annò a Catellonisetta, indove che c'era il propietario di 'na tipografia al quali aviva guaruto la figlia da 'na malatia seria.

Il jorno appresso, alla scurata, tornò a Catellonisetta e po' s'arricampò a Vigàta avenno nel portabagagli, in unica copia, un manifesto anonimo, nel quali non arresultava manco il nomi della tipografia che l'aviva stampato.

Il manifesto, che riportava le dù littre e la sintenza del Tribunali speciali, era stato incoddrato supra a un cartoncino liggero.

Alli tri di quella notti il dottori, non visto da nisciuno, l'appizzò a un chiovo supra alla facciata del municipio.

Il manifesto vinni fatto livari dal Podestà Lanzetta alle deci e mezza, appena tornato da un incontro col Prifetto a Montelusa, per «mancata autorizzazione all'affissione». Ma oramà il danno era fatto. Centinara di vigatisi l'avivano liggiuto e qualichiduno aviva avuto macari la pacienza di ricopiarisillo. Lanzetta mannò a chiamari a Cocò Giacalone.

«Bella minchiata sullenni che m'aviti fatto fari! E ora chi glielo dici al Fidirali?».

Cocò aggiarniò e stava per arrispunniri quanno la porta vinni spalancata con un càvucio e comparse il Fidirali in pirsona, apprecipitatosi da Montelusa, avvirtuto non si sapi da chi.

Pariva 'na vampa di foco pirchì, a parti ch'era russo di capilli, la raggia gli aviva fatto arrussicari la pelli.

«Esigo una spiegazione!» gridò con una voci che lo sintirono persino le pirsone che passiavano nel corso.

Gli cociva che nel discorso funebri aviva parlato di Manueli Persico come «tempra purissima di fascista della primissima ora», ma gli cociva chiossà la littra scritta a Mussolini con la quali aviva fatto ottiniri alla vidova la pinsioni privilegiata.

A quelli che passiavano nel corso arrivaro macari altre dù frasi del Fidirali.

La prima era: «Cambiate quella fottuta targa stradale!». La secunna fu: «Farò revocare la pensione alla vedova!».

Il consiglio comunali, riunitosi in seduta straordinaria quel doppopranzo stisso, aviva un solo punto all'ordini del giorno: «Cambio della targa stradale intestata a Emanuele Persico».

La mità del consiglio era composta da soci del circolo tra i quali Cocò Giacalone e il profissori Larussa.

Per primo parlò il Podestà Lanzetta, il quali dichiarò che a sò pariri la strata doviva tornari a essiri chiamata come prima, e cioè «Via dei Vespri Siciliani».

Appresso pigliò la parola il consiglieri anziano Macaluso, il quali sostenni la tesi che la strata doviva 'nveci continuari a chiamarisi «Via Emanuele Persico», cancillanno però la sottostanti scritta «Caduto per la causa fascista».

Il consiglieri Bonavia non s'attrovò d'accordo, dissi che i granni meriti fascisti di Manueli Persico, che era stato squatrista e marcia su Roma, non potivano essiri scordati, epperciò secunno lui la targa doviva essiri: «Via Emanuele Persico – Fascista».

«Ma può essiri chiamato fascista uno che ha ammazzato a revorberate a un fascista?» spiò a se stisso e all'autri il consiglieri Butticè.

Calò pinsoso silenzio.

Fu a 'sto punto che addimannò e ottinni la parola il profissori Larussa.

Quattro

Fu chiaro, priciso e conciso.

«Camerati!» principiò. «Mi rifaccio alle parole or ora dette dal camerata consigliere Butticè, e che tutti voi quindi avete ben presenti, e cioè che Emanuele Persico sia stato l'assassino di un fascista. Orbene, la domanda che rivolgo a tutti noi è questa: come siamo venuti a conoscenza di quest'ipotetico episodio? Rifletteteci».

Fici 'na pausa, talianno a uno a uno a tutti quelli che stavano nella sala. Po' arripigliò.

«La risposta a questa domanda non può essere che una e una sola: attraverso un manifesto vigliaccamente anonimo. Sì, sottolineo vigliaccamente anonimo, perché chi si trincera dietro l'anonimato è un vile individuo che non ha il coraggio di manifestare apertamente le proprie opinioni e che nell'Italia fascista, fatta di gente coraggiosa e leale, non può e non deve trovare ascolto. Ma una parte di noi, purtroppo, a quel manifesto ha immediatamente creduto. Una parte di noi, senza stare a pensarci due volte, ha scelto di prestar fede alle vili insinuazioni di un anonimo piuttosto che ricordare come in ogni momento della sua lunga esistenza Emanuele Persico sia stato per tutti un luminoso, incrollabile esempio di vita e pensiero fascista. Mi dispiace dirlo, ma anche il camerata Federale pare che si sia scordato dell'opera quotidiana e indefessa che il camerata Persico ha svolto per la difesa della nostra santa rivoluzione fascista. Io perciò mi oppongo a che la targa sia rimossa e che venga revocata la pensione alla vedova senza aver prima promosso un'accurata indagine su come andarono veramente i fatti di quella notte a Marsiglia. Ci vogliono prove concrete, risultanze certe, assolute, incontrovertibili, prima di esprimere un giudizio di condanna su Emanuele Persico. Vi preannunzio perciò che scriverò una lettera aperta al Segretario del partito che farò pubblicare sul “Giornale di Sicilia”».

E s'assittò.

Tutti s'agitaro a disagio, le cose si stavano mittenno malamenti, nisciuno s'aspittava che il profissori arrivasse ad attaccari a 'n'autorità come il Fidirali.

Taliaro a Cocò che di certo avrebbi fatto la spia. 'Nveci Cocò stringì la mano a Larussa, facenno vidiri che stava dalla sò parti.

Il Podestà Lanzetta s'asciucò il sudori della fronti e detti la parola al consiglieri Bonavia che l'aviva addimannata.

Bonavia fici tri proposte pricise.

La prima era che l'indagini addimannata dal profissori Larussa annava fatta. L'incarrico era da affidari ad Agatino Muscariello, stimato storico locali, che dal jorno dei funerali di don Manueli travagliava a un libro, *Vita esemplare di un fascista: Emanuele Persico*, che sarebbi stato pubblicato a spisi del Comune.

La secunna era che il profissori non doviva scriviri la littra aperta, ma che tutto il consiglio doviva mannare 'na littra al Fidirali prigannolo di sospinniri la richiesta di revoca della pinsioni alla vidova in attesa delle conclusioni dell'indagini.

La terza e urtima arriguardava un piccolo cangiamento della scritta nella targa.

Mentri le primi dù proposte vinniro approvate all'unanimità per acclamazioni, la terza suscitò 'na discussioni che durò a longo.

Alla fini faticosamenti si trovò un accordo.

Fu accussì che dù jorni appresso i vigatisi potirono leggiri la nova targa: «Via Emanuele Persico – Provvisoriamente caduto per la causa fascista».

La targa suscitò commenti non propio favorevoli tra 'na poco di soci del circolo, soprattutto tra quelli che non facivano parti del consiglio comunali.

«Sunno 'gnoranti e analfabetici!» scatasciò Paolino Marchica che aviva come titolo di studdio la terza limentari.

«Che significa caduto?» fici di rinforzo Jachino Tumminello. «Caduto significa morto. Ora come si fa a scriviri che uno è provisoriamenti morto?».

Dimanne alle quali il profissori Larussa non si dignò d'arrispunniri.

Siccome che la guerra con la Francia era finuta da un pezzo, lo storico Agatino Muscariello fici prisenti al Podestà che per l'indagini sui fatti di Marsiglia era nicissitato ad annari in quella cità per consurtari i giornali dell'ebica. Ottinuto il primisso e il dinaro per il viaggio sinni partì.

Il Fidirali se la pigliò commoda e arrispunnì doppo quinnici jorni alla littra che gli aviva spiduta il consiglio comunali.

S'addichiarava disposto ad accittari la proposta di sospensiva della pinsioni alla vidova, ma mittiva 'na condizioni 'nderogabili.

La scritta sutta al nomi di Manueli Persico gli sonava riddicola e assà equivoca nei riguardi dei caduti non provvisori per la causa fascista. Si doviva cancillari.

Il Podestà Lanzetta indissi un consiglio straordinario.

Fu subito chiaro a tutti i prisenti che sia Cocò Giacalone che il profissori Larussa stavota erano del pariri di fari contento il Fidirali e di cangiare la scritta supra alla targa.

Gnoravano che i dù, ma ognuno singolarmenti, erano stati mittuti dalla vidova davanti a 'na situazioni senza possibilità di reblica: «Talè, se quel cornuto di Fidirali mi fa livari la pinsioni, tu di viniri ccà nni mia te lo poi scordari».

Ancora 'na vota, il Podestà proponì di tornare a chiamari la strata «Via dei Vespri Siciliani».

E ancora 'na vota il consiglieri Bonavia arricordò i granni meriti fascisti di Manueli Persico e arripitì che la scritta doviva essiri simplicimenti «Fascista».

«Ma come facemo a definirlo fascista? E se poi arresulta che veramenti ammazzò a un fascista come lo definemo?» 'ntirvinni il consiglieri Butticè.

«Posso fari 'na proposta?» spiò il consiglieri Bonavia.

«Facitila» arrispunnero tutti.

Bonavia la fici. Scoppiò un'ovazioni.

Fu accussì che dù jorni appresso i vigatisi potirono leggiri la nova scritta: «Via Emanuele Persico – In attesa di definizione».

Passata 'na simana s'arricampò da Marsiglia Agatino Muscariello che direttamenti dalla stazioni si fici portari 'n municipio indove ebbi un colloquio a porti chiuse col Podestà.

«Male nove porto».

«E cioè?».

«I giornali francisi di 'sta storia nni parlaro assà assà. I judici non ebbiro dubbio che ad ammazzari a Cannizzaro era stato Miraglia, ma non tinniro conto di 'na tistimonianza di un signori, Marc Séigner, che abitava in quella strata, e che, affacciatosi doppo lo sparo, aviva viduto a un tali che mittiva qualichi cosa nella mano di uno sbinuto 'n terra. E non sulo. Ci fu un secunno signori, Albert Mineau, che scrissi al giornali di Marsiglia dicenno che si era offerto di testimoniari, ma che non era stato accittato. Il cunto di quello che vitti è priciso 'ntifico a quello di Séigner. Io ho fatto fotografari tutti l'articoli e la littra. Glieli consigno».

Raprì 'na baligia, ne tirò fora un pacco, lo posò supra alla scrivania del Podestà che lo taliò priocupato squasi fusse 'na bumma. E, in un certo senso, 'na bumma lo era veramenti

'N conclusioni, ora i testimoni a carrico di Manueli Persico erano tri: Russo, Séigner e Mineau.

L'indagini che aviva voluto il profissori Larussa portava a 'na conclusioni amara.

Quel grannissimo cornuto, parlannone da vivo, di Manueli Persico, doppo aviri ammazzato al fascista, sinni era scappato in Italia e aviva fatto la giniali pinsata di sarbarisi il culo e di rifarisi 'na virginità 'ntruppannosi con gli squatristi e facenno la marcia su Roma.

Sudava friddo, il Podestà Lanzetta. Di sicuro stavota il Fidirali l'avrebbi fatto dimittiri dalla carrica e grasso che colava se non gli livava macari la tessera del partito o lo spidiva al confino.

Nella confusioni in cui s'attrovava, non accapì le paroli che 'ntanto Muscariello gli stava dicenno.

«Eh?» fici, 'ntronato.

«Le volivo diri che prima di partiri per Marsiglia avivo scoperto 'na cosa 'mportanti assà supra a Manueli Persico che però non ebbi tempo d'approfonniri».

«Un'altra?!» spiò allarmato il Podestà.

«Sì, ma questa non sarebbi 'na cosa nigativa, anzi».

«Dicitimilla».

«Mi scusassi, ma prima aio bisogno di fari un controllo all'archivio di storia patria a Palermo. Facemo accussì. Ora io torno a la mè casa, m'arriposo e domani a matino parto per Palermo».

«Vabbeni. Ma non diti a nisciuno di quello che aviti scoperto a Marsiglia. Nni parlamo quanno tornati».

E tanto per non sbagliari, appena che Muscariello sinni fu ghiuto, pigliò il pacco, lo 'nfilò dintra a un cascione della scrivania, lo chiuì a chiavi e si misi la chiavi 'n sacchetta.

Tri jorni appresso Muscariello rifirì al Podestà la sinsazionali scoperta.

Manueli Persico, nel 1861, era stato libirato dai garibaldini dal carzaro di Palermo, indove s'attrovava, appena sidicino, per aviri pigliato a pitrate a un cannoneri dell'esercito borbonico.

Priciso 'ntifico a quello che aviva fatto il mitico ragazzo ginovisi di Portoria, quel Balilla addivintato simbolo di tutta la giovintù fascista!

Era 'na notizia che tagliava ogni discussioni.

Non sulo, ma le carte dell'ebica contavano, senza ùmmira di dubbio, che Nino Bixio se l'era pigliato 'n simpatia e se l'era portato appresso per qualichi tempo chiamannolo «il più coraggioso dei picciotti».

Ma come mai don Manueli non aviva mai parlato di 'sta sò giovintù garibaldina? Forsi per un eccesso di modestia? Vuoi vidiri che macari aviva arricivuta qualichi dicorazioni al valori?

Il Podestà detti ordini a Muscariello di continuari le ricerche e 'ntanto arreunì il consiglio comunali 'n siduta straordinaria.

Lanzetta esponì ai consiglieri tanto le male nove da Marsiglia quanto la bona nova che viniva dalle carti garibaldine.

La discussioni stavota fu tanto animata che correro male paroli tra i consiglieri.

Alla fini vinni accittata la proposta del solito consiglieri Bonavia.

Fu accussì che dù jorni appresso i vigatisi potero leggiri la targa nova: «Via Emanuele Persico – Patriota e garibaldino».

A 'sto punto però il Fidirali non se la sintì cchiù di mannari avanti la proposta di revoca della pinsioni. Davanti a un eroe del Risorgimento era meglio chiuiri un occhio.

Erano passati tri misi quanno Agatino Muscariello s'appresentò al Podestà e addimannò di parlarigli riservato.

Al sulo taliarlo 'n facci, Lanzetta accapì che quello portava carrico e carrico malo.

«O matre santa! Che aviti scoperto?».

«Che era vero che Manueli Persico, che allura aviva appena sidici anni, s'attrovava a Palermo 'n carzaro ed era stato libirato dai garibaldini. E che era macari virissimo che Bixio se lo tiniva allato».

«E allura?».

«E allura c'è un seguito. Bixio scoprì che Manueli gli aviva contato 'na sullenni farfantaria. Non era vero che s'attrovava 'n carzaro per aviri tirato 'na pitrata a un soldato borbonico, ma pirchì aviva arrubbato il dinaro che il parroco di Vigàta aviva raccogliuto per la festa di san Calorio».

«Matre santissima!» dissi il Podestà.

«E non sulo. Dù jorni avanti aviva aggarrato a 'na picciotteddra di quinnici anni e ci aviva fatto i comodazzi sò».

«Matre biniditta!» dissi il Podestà.

«Allura Bixio, prima di rispidirlo 'n carzaro, arreunì i garibaldini e sputò 'n facci a Manueli chiamannolo "il più vile dei picciotti"».

«Ma non aviva addichiarato che era il cchiù coraggioso?».

«Io 'sta storia del cchiù coraggioso la liggii in un articolo del 1885. Sulo doppo m'addunai che era stato scritto dallo stisso Persico».

Doppo cinco ure d'animate discussioni, il consiglio comunali arrivò a un punto morto.

«Ma come minchia lo possiamo definiri a 'sto cazzo di Manueli Persico?» scatasciò il Podestà.

«Supra alla targa, scrivemoci simplicimenti "Emanuele Persico – Un italiano" e finemola ccà» proponì il consiglieri Bonavia.

Fu accussì che la strata tornò a chiamarisi «Via dei Vespri Siciliani».

La guerra privata di Samuele, detto Leli

Uno

È difficili assà che un omo che ha fatto le scoli fino al liceo si possa scordari dei nomi dei sò compagni di classe pirchì ogni matina il profissori, arripitenno la litania dell'appello, quei nomi te li stampava a forza nel ciriveddro.

Alla prima ginnasio, i mè compagni si chiamavano, seguenno il rigoroso ordini alfabetico del registro, Ajaimo, Burgio, Butticè, Camilleri, Carmina, Costanza, Crispino, D'Amico, Di Porto... Mi fermo ccà, non per faglianza di memoria, ma pirchì mettiri in fila trentadù cognomi, ché tanti eravamo, alla fini stuffa.

Ora si usa che ai compagni ci si arrivolge chiamannoli per nome, ma allura, nel 1937, nni viniva naturali usari sulo il cognome. Il nomi, Michè, Filì, Giurlà, Totò, viniva adoperato tra amici stritti. Io, tempo tri misi, addivintai amico stritto di Di Porto epperciò passammo dal cognomi al nomi: lui mi chiamava Nenè e io lo chiamavo Leli, che era il diminutivo di Samuele.

Naturalmenti, fino dai primi jorni, vinimmo a sapiri i mistieri dei nostri patri, c'era chi era figlio di dottori, di giometra, di avvocato e c'era chi era figlio del capostazioni, com'era il caso di Leli, o figlio del direttori del Demanio, com'era il caso mè. I figli dell'operai, dei piscatori, dei muratura, dei viddrani l'avivamo lassati alla quinta limentari, difficili che a quei tempi prosecutavano lo studdio.

Come fu che io e Leli addivintammo amici?

La facenna principiò verso la mità del secunno misi di scola, quanno alla prima ora s'apprisintò il novo profissori di religioni, don Angilo Ramazzo, che aveva sostituito a quello vecchio annato in pinsioni.

Don Ramazzo era sì un parrino, ma pariva un armuàr, tanto era àvuto e grosso. Aviva 'na testa enormi con dù occhi a palla pricisi 'ntifichi a fanali d'automobili. La tonaca era tutta macchiata di lordie varie, dal suco di pasta al giallo d'ovo. Supra al petto portava uno sparluccicante distintivo del fascio.

Appena che trasì 'n classi, tutti nni susemmo addritta sull'attenti, come si usava. Lui ci taliò a longo fermo sulla porta, con una torva spressioni come se l'avivano pigliato a male paroli, po' fici il saluto romano, si annò ad assittare 'n cattidra, raprì il registro e accomenzò l'appello. La regola era che chi viniva chiamato, si doviva susiri, dire «presente!» e assittarisi.

Tutto filò fino a quanno arrivò a Di Porto.

«Di Porto Samuele».

«Presente!».

E Leli fici per assittarisi.

«No, resta in piedi».

Si misi fisso a taliarlo. Po' spiò:

«Tu sei ebreo?».

Leli, che non s'aspittava la dimanna, 'ngiarmò.

«Beh? Rispondi! Sei ebreo o no?»

«Non... non lo so».

«Che significa non lo so? Vuoi fare lo spiritoso?».

«No».

«Va bene, siediti, del tuo caso ne parlerò col preside. Ma tu intanto informati con tuo padre se sei ebreo o no. Sono certo che ti dirà di sì. Del resto, basta guardarti in faccia».

Tri jorni appresso don Ramazzo, rifacenno l'appello, arrivò ancora a Di Porto.

«Presente!».

E Leli accennò a riassittarisi.

«Fermo! Ti siedi quando te lo dico io».

Il parrino continuò l'appello. Chiamò l'ultimo cognomi, che era Zuccato, lassanno sempri addritta a Leli. Sulo allura tornò a rivolgergli la parola:

«Ti sei informato con tuo padre?».

«Sì».

«Sei ebreo?».

«Sì».

«Dillo ad alta voce».

«Che cosa?».

«Che sei ebreo».

«Sono ebreo».

«Più forte!».

«Sono ebreo».

«Più forte ancora».

«Sono ebreo!» gridò Leli.

Ma la voci gli si strozzò. Fu chiaro a tutti che si tiniva a forza dal mittirisi a chiangiri. Ma era propio quello che voliva don Ramazzo, che si mittissi a chiangiri.

«Ripetilo più forte che puoi».

Leli si inchì i purmuna d'aria e partì.

«Sono...».

«Basta!» mi sintii diri a voci altissima.

E subito appresso averlo ditto, mi scantai. Ma quel basta mi era nisciuto dal cori, non avivo potuto tinirlo.

«Chi ha parlato?».

«Io» fici, susennomi e maledicennomi.

«Sei anche tu un ebreo?».

«No».

«E tu, che sei cattolico, non lo sai cosa hanno fatto gli ebrei a Gesù nostro Signore?».

«No».

«Sei battezzato?».

«Sì».

«E il tuo parroco non te ne ha parlato?».

«No».

«Ha fatto male. Sono stati gli ebrei ad ammazzare Gesù! Questa razza maledetta ha le mani sporche del suo sangue! Loro lo hanno fatto mettere sulla croce! E ora, non contenti, tramano contro il nostro Duce! D'accordo coi massoni, congiurano contro il fascismo!».

Trimava tutto di raggia. Gli vinni un attacco di tossi. Sputò 'n terra. E po', arrivolto a Leli:

«Stesse a me, ti butterei fuori dall'aula a calci nel sedere! Ma il preside non ha ancora preso una decisione. Mi spieghi che frequenti a fare l'ora di religione tu che non appartieni alla Chiesa cattolica apostolica romana? Ma intanto...».

S'interrompì, s'arrivolgì al compagno di banco di Leli.

«Tu, Scibetta, alzati e vatti a sedere in quel posto libero nel terzultimo banco».

Scibetta pigliò libri e quaterni e si spostò.

«Tu, Camilleri, vatti a sedere al posto di Scibetta. Così in un unico banco abbiamo l'ebreo e l'amico dell'ebreo. Siete proprio una bella coppia! E cercate di rigare dritto perché altrimenti vi stronco!».

Potevamo non addivintari amici?

Fino a quel momento avivamo fatto lezioni di

scienze con una supplenti pirchì la profissoressa Zarcuto, la titolari, era stata malata.

Po', 'nveci, arrivò la signorina Ersilia Zarcuto. Àvuta sì e no un metro e quarantacinco, aviva i baffi, le gammi storte e un paro d'occhiali a funno di buttiglia.

S'appresentò vistuta in sahariana, e con la M di Mussolini che le abballava 'n mezzo alle minne, che era la divisa delle fìmmine fasciste. Nisciuno dell'altri profissori viniva alla scola 'n divisa, al massimo in certe occasioni si mittivano la cammisa nìvura.

Il primo jorno di lezioni, doppo aviri fatto il saluto romano, ferma sulla porta, spiò a noi che eravamo addritta 'mpalati sull'attenti, con una voci accussì acuta che spaccava i timpani:

«Chi è l'ebreo?».

"Bih, che camurria!" pinsai.

«Io» arrispunnì Leli susennosi.

La Zarcuto lo squatrò con un'aria schifata come se era un sorci morto e po', tirata la testa tutta narrè, si voltò di tri quarti e gridò arrivolta verso il corridoio:

«Ingrassia!».

Il bidello s'appresentò correnno.

«Comandi!».

«Portatemi una sedia!».

«Ma supra alla cattidra la sò seggia c'è già...».

«Ne voglio un'altra, subito!».

Il bidello s'arricampò con la seggia.

«Mettetela in fondo all'aula con lo schienale rivolto verso di me!».

Ingrassia eseguì.

«L'ebreo vada a sedersi su quella sedia!».

Leli si annò ad assittare. Mittuto accussì, aviva davanti il muro.

La profissoressa acchianò nella cattidra.

«Seduti. Sono stata informata di questa incresciosa situazione da don Ramazzo. Tu, ebreo, ogni volta che ho lezione qua, prima che io entri in classe, devi andare a sederti su quella sedia e restarci per tutta l'ora. Mi hai sentito, ebreo?».

«Sì» fici Leli, talianno il muro.

«T'avverto che, visto e considerato che il preside non riesce a prendere una decisione, io e il camerata don Ramazzo ci siamo messi a rapporto con il federale. Questo sconcio della tua presenza in classe deve finire una volta per tutte!».

La odiai.

Mè patre era fascista e marcia su Roma. Perciò quel jorno stisso, mentri stavamo assittati a tavola a mangiari, gli spiai:

«Papà, vero è che l'ebrei sunno genti tinta?».

«Chi te lo disse?».

Gli contai quello che era capitato in classe. Papà storcì la vucca. Faciva accussì quanno non aggradiva.

«Ci stanno ebrei boni ed ebrei tinti».

«Ennò, papà, don Ramazzo dici che tutti l'ebrei sunno razza mallitta. E macari la profissoressa Zarcuto dici che...».

«Senti, la facenna è complessa e difficili da spiegari. A tia 'sto compagno ti sta simpatico?».

«Sì, papà».

«È un bravo picciotto?».

«Sì, papà».

«E allura stracatafottitinni di quello che dicino don Ramazzo e la Zarcuto!».

«Non parlari vastaso con tò figlio!» lo rimproverò la mamà.

'Na simanata appresso, mentri che c'era lezioni d'italiano, s'appresentò in classe il presidi Mattaliano. Aviva la cammisa nìvura, signo che si trattava di cosa seria.

«Il camerata Daquanno, nostro federale, mi ha impartito con un foglio d'ordini le seguenti disposizioni che vanno eseguite alla lettera. Su richiesta di don Angelo Ramazzo, durante l'ora di religione gli allievi Di Porto Samuele e Camilleri Andrea usciranno fuori dalla classe e attenderanno in cortile la fine della lezione. Su richiesta della professoressa Ersilia Zarcuto, l'allievo Di Porto Samuele durante la lezione di scienze siederà a parte sopra una sedia e non nel banco e con la faccia rivolta al muro».

«No! Non è giusto!» fici 'na voci.

Io stisso mi taliai torno torno per vidiri chi aviva protestato.

Po', siccome m'addunai che tutta la classe stava a taliare a mia, accapii che ero stato io.

Ma pirchì facivo 'ste minchiate?

Che c'era dintra di mia che m'obbligava a rapriri la vucca quanno la meglio sarebbi stato ristarisinni muto? E mentri m'arrivolgivo 'ste dimanne, mi detti io stisso la risposta: pirchì sei un tragediatore nato, mi dissi, pirchì ti piaci fari tiatro.

«Che c'è?» fici il presidi 'mparpagliato.

«Io sono cattolico! Apostolico! Romano! Non mi potete privare dell'ora di religione! Non è giusto! Io ho bisogno di sentire la voce di Dio!».

Mi portai 'na mano al petto come se avissi arricivuto 'na ferita.

«Gesù per me è tutto!».

L'ultima frasi mi vinni fora ch'era 'na meraviglia d'intrippitazioni drammatica.

I compagni ristaro 'ntordonuti, a vucca aperta. Si fici un silenzio totali. Mattaliano mi taliò 'ndeciso e po' disse:

«Ne parlerò col camerata Daquanno. Intanto i suoi ordini vanno eseguiti».

E sinni nisci.

Due

Il jorno appresso, che alla prima ora c'era religioni, Leli e io, tra l'immidia ginirali dei compagni, ce ne annammo 'n cortile. Eravamo libbiri di fari quello che ci passava per la testa.

Siccome in un angolo ci stava 'na palla abbannunata, accomenzammo 'na partita. Prima accomenzammo 'n silenzio, po', senza manco addunarinninni, principiammo a fari vociate.

Doppo deci minuti arrivò il bidello Ingrassia e ce la sequestrò.

«I profissori protestano pirchì state facenno troppu burdello».

Allura nni misimo a jocare a campana.

Quanno la campanella sonò la fini della lezioni, trasimmo 'n classe ma la trovammo completamenti vacante.

Tra 'na lezioni e l'altra c'erano cinco minuti d'intervallo e tutti sinni niscivano per annare al cesso, i più per fumarisi 'na sicaretta ammucciuni, gli altri per passiare nel corridoio e taliare attraverso le porte aperte le compagnuzze che ristavano 'n classe duranti l'intervallo.

«Patre Ramazzo la tabbacchera si scordò» dissi a Leli.

Don Ramazzo tiniva sempri a portata di mano supra alla cattidra 'na tabbacchera di ligno.

Ogni tanto l'agguantava, la rapriva, pigliava 'na grossa presa, se l'infilava in una nasca, ne pigliava 'na secunna, se l'infilava nell'altra nasca e subbito appresso si mittiva a stranutari a ripetizioni, accussì forti che addivintava tutto russo 'n facci come se stava assufficanno. I compagni della prima fila di banchi si calavano sutta per scansarisi dalle spruzzate di sputazza e moccaro a mitraglia che arrischiavano di pigliarli in pieno. Finiti gli stranuti, si soffiava il naso con un fazzolittoni russo e arripigliava la lezioni.

Senza diri né ai né bai, Leli s'avvicinò alla cattidra, affirrò la tabbacchera, se la misi 'n sacchetta.

«Pirchì?».

«Boh».

Appena 'n tempo prima che tornavano i compagni.

Alla seconda ora, che c'era francisi col profissori Di Donato, la porta si raprì e spuntò Ingrassia.

«Scusasse, profissori, ma quanno s'assittò vitti se supra alla cattidra ci stava la tabbacchera di don Ramazzo?».

«Non ho visto niente» fici Di Donato siddriato per l'interruzioni. Il francisi per lui era 'na lingua sacra.

«Ah, le franzè! Le franzè!» sospirava ogni tanto stasiato, l'occhi arrivolti al celo. «Sentite che musica, ragazzi: la zigall aiant sciantè / tute l'ètè...».

«E vuautri l'aviti viduta?» spiò Ingrassia arrivolto alla classe.

E la classe, in coro:

«Nooo».

Allura, a voci vascia, addimannai a Leli:

«Chi nni voi fari di 'sta tabbacchera?».

«Ancora non lo saccio. Ci penso e po' te lo dico».

Nella terza ora avivamo scienze. Leli si susì dal banco e annò ad assittarisi supra alla seggia. La professoressa Zarcuto trasì tinenno 'n mano la vurzetta, un foglietto e 'na rivista.

Posò vurzetta e rivista supra alla cattidra e annò direttamenti alla lavagna. Pigliò il gessetto e accomenzò a riportari il disigno che aviva nel foglietto. Quanno finì, non ci accapimmo nenti.

Addisignati supra alla lavagna ci stavano come sei longhi sirpenti, ognuno fatto da dù linee parallele, che tra loro s'intersecavano.

«Sapete cos'è questo?».

Era ristata addritta allato alla lavagna.

«Un sirpintaro» fici uno.

«Zitto, cretino».

Aspittò dù minuti taliannoci con un sorriseddro.

«Allora, lo sapete o no?».

«Noo».

«Questo è il tracciato delle linee ferroviarie che partono dalla stazione di Montelusa».

Fici 'na pausa.

«La stazione che dipende dall'ebreo Di Porto, padre del vostro compagno Samuele».

Ma indove voliva annare a parare? La seguivamo attentissimi. Signò col gessetto un punto indove dù sirpenti s'intersecavano.

«Qui, dove queste linee s'incrociano, c'è uno scambio che permette a un treno di passare da un binario all'altro. Se lo scambio non viene azionato a tempo, mi sapete dire che succede?».

«Che il treno resta sullo stesso binario» fici Trifella, il primo della classe che stava assittato al primo banco.

«Bravo! E questo può provocare uno scontro con un altro treno che procede in senso inverso. Chiaro?».

«Sììì».

«Ora vi faccio notare che a dare gli ordini agli addetti agli scambi è il capostazione».

«No» fici 'na voci.

Stavota fui sicuro di non essiri stato io a rapriri vucca.

«Chi ha parlato?».

«Io» arrispunnì la voci dal funno della classe.

Era stato Leli, sempri voltato verso il muro.

«Ah, sì? Secondo te le cose stanno così? E chi li dà gli ordini?» spiò, a sfida, la Zarcuto.

«Il capomanovratore» arrispunnì Leli senza mai cataminarisi.

Sintimmo 'na speci di vociata di maiali scannato. Era la profissoressa che ridiva sarcastica.

«E da chi dipende il capomanovratore?».

«Dal capostazione» fici Leli.

La Zarcuto parse nisciuta pazza di colpo. Si misi a fari voci e la sò voci faciva trimari i vetri delle finestre e dintra alle nostre oricchi provocava un prurito irresistibbili.

«Lo vedete com'è fatta questa razza maledetta? Combinano il disastro, il deragliamento, centinaia di morti, migliaia di feriti e hanno la faccia tosta di dare la colpa agli altri!».

«Scusate, ma quand'è successo che il treno deragliò?» spiò, 'ncuriosito e scantato, un compagnuzzo che ogni matina, per viniri al ginnasio, pigliava il treno.

«Non è ancora successo, ma può succedere! Se lasciamo che gli ebrei abbiano ancora posti di responsabilità, altro che un semplice deragliamento! Quelli sono pronti a sabotare centrali elettriche, dighe, porti, collegamenti telefonici, tutto, pur di danneggiare l'Italia fascista di Mussolini! Guardatevi dagli ebrei! Sono la gramigna da estirpare! Sono peggio della peste!».

Acchianò 'n cattidra, pigliò la rivista, ce l'ammostrò.

«Questa rivista, che si chiama "Quadrivio", dovrebbe trovarsi nella casa di ogni italiano. Ora vi leggo un articolo che spiega cosa stanno facendo i tedeschi per difendersi dagli ebrei e mantenere pura la razza».

Nni liggì un papello che durò per tutta l'ora di lezioni. Alla fini eravamo tutti mezzo addrummisciuti.

«Papà, come mai 'n casa non arriva la rivista "Quadrivio"?».

«Non mi ci vosi abbonari».

«E pirchì?».

«Pirchì ogni tanto qualichiduno ci scrivi minchiate grosse».

«Non parlari vastaso con tò figlio!» fici la mamà.

«Oggi la profissoressa Zarcuto liggì 'n classe un articolo che diciva come in Germania s'addifennino dagli ebrei».

«La profissoressa Zarcuto è un pirito gonfiato d'aria».

«Ti dissi di non parlari vastaso con tò figlio!» s'arraggiò la mamà.

«Stamatina sono arrivato in classe prima di tutti. Trasii nella scola dalla porta di darrè, quella che serve per i bidelli e per le fìmmine che venno a puliziare» fici Leli appena che mi vitti.

«Pirchì?».

«Riportai la tabbacchera».

La tabbacchera di don Ramazzo era tornata al posto sò.

«O meglio» prosecutò Leli «sono state le fìmmine delle pulizie a mittirla supra alla cattidra».

«Ma tu indove l'avivi mittuta?».

«'Ncastrata tra la pidana e il muro. Le fìmmine, spostanno la pidana, sinni addunaro».

«Ma oggi però non abbiamo religioni».

«Meglio».

«Che ci facisti?»

«Ci misi 'na miscela».

«Di che?».

«Pipironcino e pipi nìvuro macinati fitto».

«Ma accussì sinni adduna dall'odori!».

«No, ci lassai dintra tanticchia di tabbacco».

L'altri compagni erano 'ntanto arrivati. Po' trasì il profissori Di Donato, s'assittò.

«Che è 'sta roba?».

«La tabacchiera di don Ramazzo» fici pronto Trifella.

«Vai a chiamare Ingrassia».

Trifella niscì e tornò col bidello. Di Donato pigliò la tabbacchera e la pruì a Ingrassia.

«Ridatela a don Ramazzo».

«Si vidi che l'attrovaro le fìmmine delle pulizie» commentò il bidello.

Dù orate appresso successi 'na speci di finimunno. Dal corridoio arrivaro voci concitate, una o dù biastemie d'Ingrassia, passi di genti che corriva, porte che sbattivano. Noi, che stavamo facenno taliàno, appizzammo l'oricchi per accapire quello che stava capitanno.

«Va' a vedere che succede» disse il profissori a Trifella.

Quello tornò doppo cinco minuti.

«Stanno portando a don Ramazzo all'ospedale».

«Perché?».

«Mentre faceva lezione in seconda B, si è fatto una presa di tabacco, ha cominciato a sternutire e non riesce più a fermarsi. Non ce la fa a respirare».

«Continuiamo la lezione» fici il profissori.

«E uno» mi disse a voci vascia Leli.

Lo taliai 'mparpagliato.

«E chi sarebbi il secunno?».

«La secunna» mi corriggì.

«Alla prossima lezione» fici la profissoressa Zarcuto «andremo in laboratorio. L'ebreo Di Porto, dato che deve stare sempre con la faccia rivolta verso il muro, non potrà vedere gli esperimenti che farò e quindi è inutile che assista alla lezione».

«Ma se poi vengo interrogato su queste lezioni, come posso rispondere?» addimannò Leli al muro.

«T'arrangi».

Il laboratorio della scola era stato ricavato da 'na speci di cantina e ci s'arrivava scinnenno 'na scala.

Era un cammarone stipato d'apparecchiature e di scaffali, con 'na sula finestra àvuta, a livello del cortile, fatta a vucca di lupo, col vitro smerigliato e tinuta sempri mezza aperta.

Alla prima lezioni in laboratorio 'n'addivirtemmo assà. La Zarcuto ci fici vidiri un doppio cono che posato supra a uno scivolo 'nveci di scinniri, acchianava, e come, dintra a un tubo di vitro privo d'aria, 'na foglia e 'na petra arrivavano a toccari il funno 'nzemmula, cadenno alla stissa vilocità.

«Piccato che non ti ha fatto assistiri alla lezioni» dissi a Leli. «Era 'ntirissanti».

Leli arridacchiò.

«Ma io ho assistito lo stisso».

«E come?».

«Stinnicchiannomi 'n terra, ho taliato dalla finestra. Voi non mi potivate vidiri, ma io vidivo tutto. L'ho fatto pirchì la Zarcuto mi voli fottiri interrogannomi supra a quello che ha fatto in laboratorio. Ma sarò io a fottiri lei».

Tre

Patre Ramazzo tornò a fari lezione nella nostra classe la simana appresso. La prima cosa che notammo fu che aviva cangiato tabbacchera, ora sinni portava appresso una d'argento con il coperchio tutto 'nciso a sciuri e a foglie.

«Che bella tabacchiera!» sclamò Trifella che era sempri pronto ad arruffianarisi.

«Quella di legno devo averla lasciata in classe quando m'hanno portato in ospedale, ma non la trovo più» spiegò il parrino.

Certamenti i medici gli avivano spiegato la scascione dei tirribbili stranuti che a momenti lo facivano moriri, ma lui non aviva addenunziato la facenna al presidi, masannò quello, a quest'ora, avrebbi aperto un'inchiesta. Raprire inchieste era la sò passioni.

Era squasi sicuro che patre Ramazzo sospittava che era stato Leli a fargli lo sgherzetto del pipironcino, e lo si vidiva dal modo torvolo col quali lo taliava 'n continuazioni, ma non potiva fari nenti, non potiva accusarlo senza provi.

«Questo ha capito che sono stato io e sta circanno il modo di farimilla pagari» mi disse Leli.

«Che vuoi fari?».

«Sto pinsanno che forsi la migliori difisa è l'attacco».

Ma Leli non fici a tempo ad attaccari per primo a don Ramazzo.

'Na matina, mentri c'era francisi, trasì il preside che aviva appresso il parrino.

Il preside era nìvuro 'n facci, mentre don Ramazzo aviva stampato un sorriso da squalo.

«Professor Di Donato, vi prego di volermi scusare, ma la lezione è momentaneamente sospesa».

Di Donato lo taliò sdignato, si susì offisissimo, pigliò il registro e niscì lassanno la porta aperta.

«Trifella, vai a chiudere».

Po' il presidi, sempri cchiù 'nfuscato, acchianò supra alla predella, ma non s'assittò in cattidra.

«Di Porto, in piedi».

Leli si susì.

«Stamattina, per uscire da casa, cosa ti sei messo?».

Che dimanna era? Che viniva a significari? Lo stesso Leli, che arrinisciva a mantiniri il sangue friddo in ogni occasioni, parse 'mparpagliato.

«L'impermeabile».

«Dov'è?».

«Nel corridoio».

I cappotti, l'impermeabbili, le sciarpe, i cappelli, prima di trasire 'n classe, vinivano appinnuti nell'attaccapanni che stavano lungo le pareti del corridoio.

«Vallo a prendere».

Leli niscì, tornò con l'impermeabbili che era vecchio e malannato. Lo tiniva a vrazzo tiso, non sapenno indove mittirlo.

«È questo?» spiò il preside a don Ramazzo.

Il parrino fici 'nzinga di sì con la testa.

«Lascialo sulla cattedra e torna a posto. Ma resta in piedi».

Passannomi davanti, Leli mi taliò 'nterrogativo. Io allargai le vrazza.

Nisciuno accapiva che significava quel tiatro.

«Poco fa» principiò il presidi «don Ramazzo, passando per il corridoio, si accorse che questo impermeabile era caduto per terra. Si chinò per riappenderlo e vide che da una delle tasche fuoriusciva una tabacchiera. Questa».

E fici 'nzinga al parrino che tirò fora la mano dalla sacchetta ammostranno la tabbacchera di ligno che diciva d'aviri persa.

«Don Ramazzo ricorda perfettamente che, quando venne trasportato in ospedale, lasciò sulla cattedra la tabacchiera. Qualcuno della seconda B deve averla presa e consegnata all'allievo Di Porto».

E po', arrivolto a Leli:

«Che volevi fartene? Riempierla nuovamente di peperoncino e pepe nero?».

In un vidiri e svidiri accapii che tutta la facenna era una grannissima farfantaria del parrino per vinnicarisi di Leli. Accomenzai a sudari pinsanno che sarebbi stato difficili assà per il mè amico tirare fora i pedi da quel trainello. Addecisi d'annargli in aiuto.

Mi susii di scatto. Il presidi mi taliò strammato.

«Che vuoi?».

«Come ha fatto don Ramazzo a sapere che l'impermeabile appartiene a Di Porto?».

«E tu chi sei, l'avvocato difensore di Di Porto?» spiò il preside ironico.

E si voltò a taliare a don Ramazzo. Fu evidenti macari a lui che la mè dimanna aviva mittuto in difficortà al parrino. Il quali, pigliato alla sprovista, accomenzò a balbettari:

«Ma... ma... quaqualche vovolta gliel'ho vivisto...».

«È mio» tagliò Leli.

Mi riassettai. Ero arraggiato per quello che aveva ditto Leli, ma se voliva farisi ghittari fora dalla scola, patronissimo.

«Mia madre» prosecutò Leli «ci ha cucito una targhetta col mio nome all'altezza del collo».

Il presidi pigliò l'impermeabbili. Era vero, la targhetta c'era e vinni ammostrata a tutta la classe. Patre Ramazzo respirò, sollevato.

«Allora» ripigliò il preside «perché avevi in tasca la tabacchiera di don Ramazzo?».

«Questo è il problema» fici Leli. «Il mio impermeabile ha le tasche finte. Non ci si può nemmeno infilare la mano».

Il presidi fici la prova, non arriniscì a mittirici dintra manco la punta delle dita. Ammaravigliato, taliò nuovamenti il parrino come a spiargli spiegazioni.

Don Ramazzo, 'ntanto, era addivintato russo 'n facci come un milone d'acqua.

«Io so solo che...».

Ancora 'na vota, Leli gli pruì la cima per non affocari.

«Probabilmente» disse «la tabacchiera si trovava già lì da chissà quanto tempo quando il mio impermeabile ci è caduto sopra».

«Già! Sarà stato senz'altro così» fici don Ramazzo aggrappannosi alla cima.

«Va bene, meglio così. L'incidente è chiuso» disse il presidi che ammostrava ora 'na gran gana di nescirisinni dall'aula. «Trifella, avverti il professor Di Donato che può riprendere la lezione».

Don Ramazzo non tornò cchiù nella nostra classe.

Doppo 'na quinnicina di jorni senza lezioni di religioni, al posto sò arrivò patre Michele Lauricella.

Sissantino, rusciano, aviva 'na panza accussì grossa che per passari dalla porta doviva mittirisi di traverso. S'assittò, raprì il registro, accomenzò l'appello. Po' arrivò a Leli.

«Di Porto?».

«Presente!».

«Resta in piedi».

«Bih, che camurria!» disse tra i denti Leli. «Accomenzamo da capo?».

«Tu sei il ragazzo ebreo?».

«Sì».

«A casa vostra tua madre la fa la torta di pesah?».

«Sì».

«La prossima volta che la prepara, me ne porti una bella porzione?».

«Gliela faccio fare apposta» disse Leli.

Noi ristammo tanticchia strammati.

«Le religioni dividono, ma la tavola unisce» ci spiegò il parrino.

Po' vinni il tempo di cannalivari e la scola parse trasformarsi in un campo di battaglia, tanto erano i botti, i tric trac, le miccette che splodivano in continuazioni. Ci furono dù o tri firiti leggeri, più che altro nelle fila degli stessi bombardieri ai quali i petardi scoppiarono tra le mano.

I primi delle classi non se la passaro bona in quelle jornate, erano nel mirino. Appena che trasivano nella scola, pariva che caminavano supra a un campo minato, a ogni passo erano circonnati da lampi e botti. Un tric trac, lanciato con mano sicura, colpì il basco di Trifella e glielo 'ncendiò. I bidelli s'affannavano circanno di sorprenniri i bombardieri, ma non arriniscero a pigliarinni manco uno. Il presidi passò classi classi a minazzare sei in cunnutta e bocciature varie, senza ottiniri nisciun effetto. La profissoressa Zarcuto ci annunziò che nell'ultima lezione prima delle vacanze di cannalivari avrebbi fatto un esperimento assà sdilicato per il quali era nicissaria assoluta concentrazioni.

«Per fortuna» disse «gli scoppi quassotto arrivano molto attutiti, altrimenti non me la sarei sentita di farlo».

«Ci può dire di cosa si tratta?» spiò Trifella con la facci di chi si senti sempri a digiuno di novi 'nsignamenti.

«Ce l'hai il libro?».

«Certamente».

«L'esperimento è descritto a pagina 32».

Naturalmenti ci eravamo pigliati di curiosità e annammo tutti a vidiri a pagina trentadù.

Quella pagina annò a taliarisilla di cursa macari Leli che non mancava d'assistiri, sempri 'nvisibbili darrè alla finestra, alle lezioni in laboratorio della Zarcuto.

Po' vinni il jorno dell'esperimento.

Arrivata a mità della sò ora, la profissoressa annò a rapriri un armadio, pigliò 'na boccetta dintra alla quali ci stava 'na sustanzia che pariva 'na gazzosa e, con gesti pricisi 'ntifici a quelli di un parrino che recita la missa, la posò supra alla cattidra. Doppo tornò narrè, tirò fora dall'armadio un tubbiceddro di vitro e lo mise allato alla boccetta.

Supra alla cattidra ci stavano già 'na buttiglia china d'acqua e un bicchieri vacante. Li aveva portati il bidello al principio della lezioni.

Tutta la classe stava col respiro sospiso.

«Dentro a questa boccetta c'è acido cloridrico» disse la profissoressa. «E questo tubicino di vetro che ho in mano si chiama pipetta. L'esperimento consiste nel mutare in acqua e sale l'acido cloridrico. Basterà che io metta in bocca un po' d'acqua e, attraverso la pipetta, la trasferisca all'interno della boccetta contenente l'acido. Come vi è facile capire, devo badare bene a espirare, perché se inspirassi, berrei l'acido».

«C'è pericolo di morte?» spiò, ansioso, il solito Trifella.

La Zarcuto sorridì.

«Di morte no, ma potrei ustionarmi. Per questo vi prego di stare immobili durante l'esperimento e di non fare rumori improvvisi. D'accordo?».

«D'accordo» fici 'n coro la classe.

La profissoressa s'assittò. Versò nel bicchieri tri dita d'acqua, si portò il bicchieri alla vucca, lo svacantò, lo posò. Le guance le erano addivintate paffutelle, ma nisciuno osò manco sorridiri. Po' s'infilò tra le labbra la pipetta. Appresso avvicinò a sé la boccetta.

Prima di travasare l'acqua soffianno, isò l'occhi a taliarici come a raccomannare ancora 'na volta il silenzio assoluto e quindi 'nfilò la pipetta 'n mezzo all'acito.

Aviva appena accomenzato a soffiari che un'esplosioni tirribbili ci assordò a tutti. Le ante di dù o tri armadietti si spalancaro, si sintì rumorata di vitri rotti. E tutti satammo dal banco, facenno 'na vociata di scanto, assorti com'eravamo a taliare l'esperimento.

Qualcuno, da fora, aviva lanciato un petardo dintra all'aula.

Pinsai 'mmidiato che era stato Leli. Po' si sintì la voci di Trifella:

«La professoressa! Oddio, la professoressa!».

La Zarcuto, con le dù mano sirrate attorno alla gola, stava facenno 'na speci di balletto. Ghittava 'na gamma di ccà e una di ddrà, scomposta, e ogni tanto firriava supra a se stessa come 'na trottola. Era addivintata viola 'n faccia, le ammancava il respiro. Doppo, di colpo, cadì in terra, assintomata.

Mentri mezza classe ristava apparalizzata dallo scanto, l'altra mità corrì fora in cerca d'aiuto. Io ero nisciuto 'n testa a tutti e granni fu perciò la mè meraviglia quanno vitti a Leli nel corridoio che parlava col bidello.

Allura non era stato lui?

«Che fu?» mi spiò 'nfatti.

«La professoressa Zarcuto sta molto male» dissi al bidello mentri vinivo raggiunto dagli altri.

Il bidello s'apprecipitò e i compagni appresso a lui.

«È scoppiato un petardo mentre che la Zarcuto...» principiai a contare a Leli.

«Davero?» fici lui.

Il tono non mi persuadì. Lo taliai nell'occhi. Ricambiò la taliata, sorridenno appena.

Quattro

Naturalmenti il presidi raprì un'inchiesta 'mmidiata. Dalla quali però subbito Leli vinni escluso pirchì il bidello Ingrassia tistimoniò che quanno io gli comparsi davanti per dirgli che la Zarcuto stava mali, lui già da qualichi minuto liticava con l'allievo Di Porto. Anzi, arrifirì il dialogo che aviva avuto con Leli.

«Indove stai annanno?».

«A cesso».

«Aspetta l'intirvallo».

«Ma se io devo stare fora dalla classe, che bisogno c'è che aspetto l'intervallo?».

«A cesso ci si va nell'intirvallo o col primisso dei profissori».

«Ma come posso spiari il primisso se non sono in classe?».

A 'sto punto ero arrivato io.

Il petardo di grosse dimensioni, di conseguenzia, era stato scagliato dintra alla classe da qualichi altro studenti.

Quanno niscemmo dalla scola, Leli mi spiò se potiva accompagnarimi a pigliare la correra.

«Come facisti?» gli addimannai.

«Era un pitardo a miccia» m'arrispunnì. «E io m'accattai quello con la miccia cchiù longa».

La Zarcuto tornò 'n classe doppo 'na decina di jorni. Ma non s'azzardò a fari cchiù lezioni in laboratorio. Quanno dettiro le pagelle, in quella di Leli, alla voci «materie scientifiche» non ci stava signato nisciun voto.

Dù jorni appresso, mentri avivamo scienze, la porta si raprì e comparse il presidi con un omo vistuto in pirfetta divisa fascista. L'omo aviva un'ariata da gerarca abbituato al comando, faciva soggezioni. Salutò col saluto romano e po' s'impalò con le mano supra ai scianchi.

«È mè patre» mi spiegò addivirtuto Leli.

«Professoressa Zarcuto» fici il presidi. «È vero o no che l'allievo Di Porto, come da voi sostenuto in consiglio dei professori, è così impreparato da non poter essere nemmeno classificato?».

«Siccome non ha assistito nemmeno a una delle mie lezioni in laboratorio, sono assolutamente certa che non...».

«Ma voi l'avete interrogato o no?».

«Non ho ritenuto che...».

«Esigo» fici l'omo con una voci pricisa 'ntifica a quella 'mpiriosa di Mussolini mentri il presidi 'ncassava la testa tra le spalli «che mio figlio sia interrogato immediatamente! Non è ammissibile che nella nuova scuola creata dalla rivoluzione fascista un giovane sia...».

«Va bene, va bene» fici il preside. «Professoressa Zarcuto, interrogatelo!».

La Zarcuto era addivintata viola, come quel jorno che era ristata assufficata dall'àcito, ma dovitti chiamari alla cattidra a Leli.

L'interrogazioni durò chiossà di mezz'ora, Leli non sgarrò 'na risposta.

Quanno la Zarcuto disse che abbastava, la classe scoppiò in un applauso.

Il patre di Leli, senza diri 'na parola, rifici il saluto romano sbattenno i tacchi e niscì assicutato dal presidi che tentava di scusarisi.

Un jorno Leli mi spiò:

«Pirchì non facemo i compiti 'nzemmula?».

«E come faccio? Io, appena finisce la scola, corro a pigliare la correra per Vigàta che parte all'una e mezza».

«Veni a dire che avverti a tò matre che pigli la correra delle cinco e mezza. Mangi con noi, facemo i compiti dalle tri alle cinco e po' tinni torni a Vigàta».

«Tò patre mangia con noi?».

«Certo».

Ristai dubitoso.

Quell'omo che parlava come a Mussolini mi faciva suggizioni assà. Ma Leli 'nsistì. Mè matre mi dette il pirmisso. Ma quanno niscemmo dalla scola e ci avviammo verso la stazioni, non me la sintii cchiù. E lo dissi a Leli.

«Pirchì?» mi spiò.

«Tò patre... non t'offinniri, Leli... ma tò patre...».

«T'arrifirisci per caso a come si è apprisintato alla Zarcuto?».

«Sì».

Leli abbassò la voci. Mi s'avvicinò squasi naso con naso.

«Lo sai mantiniri un sigreto?».

«Certo».

«Giura».

«Ammazzatu movirò se il sigreto rivelerò».

«Tutta 'na farsa è stata».

«Che farsa?».

«Mè patre ogni tanto s'addiverti a imitari a Mussolini. Lo fa alla perfezioni».

«Ma la divisa però...».

«Quali divisa e divisa! Lui non ce l'ha. Era quella del vicicapostazioni che, dato che sò mogliere è partuta, l'aviva data a mè matre per mittirla a posto. Papà la vitti 'n casa e fici 'sta bella pinsata».

Allucchii.

«Perciò non è fascista?».

«Ma quanno mai!».

Ero 'ntronato. Non cridivo a quello che avivo appena sintuto. Davero esistiva un omo capace di tanto?

«Benvenuto nella nostra casa» mi disse il capostazioni appena che mi vitti trasire.

La sò vera voci assimigliava a quella di mè patre. Mi fici 'na carizza supra ai capilli.

«Assettati».

Va' a sapiri pirchì, tutto 'nzemmula, mi sintii orgoglioso di stari a tavola con loro.

La Zarcuto, a scascione della malafiura fatta davanti a tutta la classe, per ordini del presidi fu obbligata a fari tornare ad assittare a Leli nel banco, nel posto allato a mia.

E tutto finalmenti parse arrisolto.

Po' l'anno scolastico '37-38 finì, tutti e dù eravamo stati promossi epperciò duranti la stati ristammo siparati pirchì Leli annò a passare le vacanzi in Calabria, nel pàisi di montagna indove era nasciuto sò patre e indove c'erano i nonni. Circò di farimillo vidiri supra alla carta giografica, posò il dito supra a 'na zona acchiamata Sila ma il nomi del pàisi non ci compariva, doviva essiri fatto da quattro case.

Quanno, passate le vacanze, la scola raprì, Leli

e io pigliammo posto nello stisso banco. I profissori non erano cangiati. Ma alla prima lezioni della Zarcuto nni ficimo pirsuasi che la profissoressa non sulo non aviva cangiato pinioni su Leli, ma anzi aviva ripigliato quell'atteggiamento sfottenti che per tanticchia era stata obbligata a mettiri da parti. 'Nfatti, appena assittata 'n cattidra, tirò fora 'na rivista e ce l'ammostrò.

«Questa rivista si chiama "La Difesa della razza". Prima di ogni lezione, ve ne leggerò un articolo perché sappiate che abisso d'infamia e di degenerazione sono gli ebrei».

Mentri la Zarcuto liggiva un papello nel quali si diciva come la razza italiana non doviva lassarisi 'nquinare da quella ebraica, la mano di Leli, squasi a circari conforto, si posò supra alla mè gamma. Allura io posai la mè mano supra alla sò. Ristammo accussì fino a quanno la liggiuta dell'articolo non finì.

«'U papà è preoccupato assà» mi disse un jorno Leli.

«Pirchì?».

«Pare che Mussolini sta facenno 'na liggi che sarà la nostra fini».

A tavola, lo spiai a mè patre.

«Vero è che Mussolini sta facenno 'na liggi contro all'ebrei?».

Non m'aspittavo 'na sò reazioni accussì violenta.

«Vero è! 'Sto grannissimo testa di minchia di Mussolini s'è lassato persuadiri dal sò amiciuzzo Hitler! L'ebrei sunno pricisi 'ntifici a noi! Che cazzo di differenza c'è? E 'nveci tirano fora 'sta sullenni minchiata della razza che è tutta 'na strunzata 'nvintata dai nazisti che sunno genti con la quali è meglio non avirici a chiffare!».

Ne aviva ditto parolazze 'u papà, eppuro quella volta la mamà non lo rimproverò.

Verso la fini di novembri la profissoressa Zarcuto s'appresentò 'n classe e raprì la solita rivista nelle dù pagine centrali che erano tutte addisignate.

«Questi disegni illustrano efficacemente i provvedimenti presi dal consiglio dei ministri nei confronti degli ebrei. Ve li leggo. Essi non potranno più prestare servizio militare, esercitare l'ufficio di tutore, essere proprietari d'aziende interessanti la difesa nazionale, essere proprietari di terreni e fabbricati, avere domestici ariani. Inoltre non vi possono più essere ebrei nelle amministrazioni militari e civili, nel partito, negli enti provinciali e comunali, negli enti parastatali, nelle banche, nelle assicurazioni, nelle scuole. Questo significa, allievo Di Porto, che tuo padre non potrà più lavorare da nessuna parte e che finalmente non vedrò più davanti a me la tua orrenda faccia di ebreo».

Alla nisciuta dalla scola, Leli m'accompagnò alla correra. Ma non arriniscemmo a parlari di nenti. Sulo al momento di salutarinni, gli spiai:

«Domani veni a scola?».

«Non lo saccio».

Quanno la correra partì, mi voltai. Leli era fermo, mi salutava col vrazzo isato, agitanno la mano. L'indomani non vinni a scola. Alla fini delle lezioni, m'apprecipitai alla stazione. Tuppiai alla porta dell'abitazioni, nisciuno mi vinni a rapriri. Spiai a uno delle ferrovie e quello mi disse che il capostazioni con la famiglia sinni era partuto quella matina stissa, ma non sapiva per indove.

E io non seppi cchiù nenti di Leli.

Questa, di lui che mi saluta, è l'immagine che mi sono portata appresso per anni e anni. E non scoloriva mai, pirchì le notizie che accomenzaro a circolare subbito appresso la fini della guerra sul massacro di milioni e milioni d'ebrei nei campi di sterminio tedeschi me la tiniva sempri viva. E una volta che in un ginematò vitti 'na ruspa che spalava cintinara di cataferi dintra a uno di questi campi chiuii l'occhi scantannomi assurdamenti d'arriconosciri a Leli in uno di quei pupi peddri e ossa che non pariva che potivano essiri stati un jorno òmini e fìmmine.

Ma c'erano volte che mi facivo coraggio.

«No» mi dicivo. «Leli di sicuro si sarà arribbillato, avrà circato di scappari. E macari l'avranno sparato. Sempri meglio che moriri di fami jorno appresso jorno dintra a uno di quei campi».

Po', com'è forsi giusto che succeda, quell'immagini accomenzò a sbaporare. Non il ricordo, l'immagini.

Quarantadù anni appresso, trasenno 'na sira in un tiatro di Roma indove si rappresentava una commedia con la mè regia, la cassera m'indicò un omo assittato supra a un divanetto.

«Quel signore è da mezz'ora che l'aspetta».

Era uno della mè stissa età, vistuto aliganti. Mi ci avvicinai.

«Voleva parlarmi?».

L'omo si susì.

«Lei è Andrea Camilleri, detto Nenè, nato a Porto Empedocle?».

Aviva un accento stranero.

«Sì. E lei chi è?».

«Sono Samuele Di Porto, detto Leli».

Ristammo immobili.

Non arriniscivamo a cataminarici.

Ci taliavamo occhi nell'occhi e vidivamo l'uno dintra alle pupille dell'altro passari la sorprisa, la commozioni, la gioia.

Ci assittammo squasi contemporaneamenti pirchì le gamme ci erano addivintate di ricotta e non ci riggivano addritta.

Po' Leli posò 'na mano supra al mè ginocchio e io misi la mè mano supra alla sò.

La tripla vita di Michele Sparacino

Uno

Michele Sparacino vinni alla luci alla mezzannotti spaccata tra il tri e il quattro di ghinnaro del milli e ottocento e novantotto.

Viniri alla luci, nel caso spicifico, è un modo di diri pirchì, a parti che era notti fitta, dintra all'unica càmmara nella quali bitava la famiglia Sparacino, patre, matre e setti figli contato Michele, la sula cosa che dava uno splapito lucore era 'na cannila addrumata e 'nfilata dintra al collo di 'na buttiglia.

Ma tanto la signura Ersilia, la matre, quanto la figlia maggiori, Tonina, di anni quattordici, macari stavota se la seppiro sbrogliare da sole, pirchì Nanà, il capofamiglia, addrummisciutosi 'mbriaco perso come faciva ogni sira, e il rimanenti dei figli non foro di nisciuno aiuto.

Il primo probbrema che Michele detti alla società fu quanno sò patre annò a denunziarlo all'anagrafi.

«Quanno nascì il piccilìddro?» spiò l'impiegato.

«Mè mogliere mi dissi a mezzannotti spaccata tra il tri e il quattro».

«Aviti 'n casa 'na sveglia, un ralogio?».

«Nonsi».

«E allura come faciva a sapiri che era mezzannotti spaccata?»

«Boh».

«E io che devo scriviri? Il tri o il quattro?».

«Boh».

«Io scrivo il tri».

Nanà se la pinsò un momento mentri quello vagnava la pinna nel calamaro.

«Ma scusasse, pirchì me lo voli fari addivintare cchiù vecchio di un jorno?».

«Io non voglio fari addivintari nenti a nisciuno. Addeciditivi: tri o quattro?».

«Boh».

«Allura scrivo il quattro».

Nanà parlò mentri quello 'nfilava novamenti la pinna dintra al calamaro: «Sintisse, non può aspittari fino a dumani che nni parlo con mè mogliere?».

L'impiegato ghittò all'aria la pinna la quali, ricadenno, allordò d'inchiostro un foglio del registro. L'impiegato si misi a santiare all'urbigna. Nanà tornò a la casa arraggiato con Ersilia.

«Ma che malafiura che mi facisti fari! Che gli devo diri a quello dell'anagrafi? Il tri o il quattro?».

«Meglio il quattro».

L'indomani a matino Nanà s'arripresentò all'anagrafi.

«Signori mio, mè mogliere mi spiegò che mentri mè figlio nasciva il ralogio del municipio sonava la mezzannotti. Perciò, dato che potemo sceglìri, avemo addeciso che nascì il quattro».

L'impiegato non disse nenti ma supra al registro scrissi tri. Nanà, che accanosciva i nummari fino a deci, s'arraggiò.

«Vi avivo ditto quattro!».

«Amico mio, il ralogio del municipio va avanti di deci minuti abbunnanti. Perciò...».

«E voi come fate a sapirlo?».

«Pirchì io ho questo».

Tirò fora dal taschino del gilecco un grosso ralogio che supra al coperchio della cascia aviva addisignato un treno che faciva fumo.

«Questo» prosecuì l'impiegato «è un ralogio delle firrovie dello Stato. Non sgarra di un secunno».

Quella stissa sira Nanà pagò un giro all'amici della taverna di Bonsignore per fari festa alla nascita di Michele. Un figlio mascolo, macari se arriva doppo altri sei figli, è sempri 'na bona cosa. E accussì gli capitò di contare la storia che gli era successa all'anagrafi. A 'sto punto Oreste Pilocco spiò:

«Sei sicuro che il ralogio del municipio va avanti di deci minuti?».

«Io non sugno sicuro di nenti. Però, quanno l'impiegato mi fici vidiri il ralogio, mancavano deci minuti alla mezza mentri 'nveci il ralogio del municipio stava battenno la mezza».

«Che ore sunno?» spiò ancora Oreste.

«Manca mezz'ora alla mezzannotti» gli arrispunnì Bonsignore.

Allura Oreste si vippi 'n autri dù bicchieri di vino e alla mezzannotti meno un quarto, salutati l'amici, sinni annò al porto.

Il postali Vigàta-Lampidusa era già pronto per salpari. L'orario di partenza era alla mezzannotti pricisa.

Doppo tanticchia, Oreste sintì battiri i dudici colpi del ralogio comunali. Ma il postali non si cataminò. Passati 'na decina di minuti, il papore fici un fischio longo di sirena e principiò la manopira di partenza. Aviva raggiuni l'impiegato, il ralogio del municipio annava avanti di deci minuti.

Oreste Pilocco, cinco anni avanti, si era fatto un anno e mezzo di carzaro per aviri 'ncitato quelli che travagliavano nel porto a pigliari parti agli scioperi dei fasci siciliani ed era schedato come «sovversivo pericoloso». Quella notti si fici un dù orate di sonno e po' s'avviò verso il grannissimo deposito dei carretti del marchisi Giannertoni che era allocato fora paìsi, vicino al camposanto.

Dintra al deposito ci stavano ducento carretti e ducento mule.

Appena che il ralogio del comune battiva le tri del matino, i duecento carritteri 'mpaiavano i carretti e si avviavano verso la minera Trabonella per carricare il sùrfaro stratto e portarlo nei depositi del porto.

Oreste alli tri vitti trasire i carritteri ma appena foro le tri e un quarto, quanno già i primi carretti erano pronti per nesciri, egli satò supra a un carretto 'mpaiato e, con voci potenti, gridò:

«Statemi a sintiri tutti! Il ralogio del comune va deci minuti avanti!».

Passato il primo momento di strammamento, uno dei carritteri spiò:

«E a nui chi ninni futti?».

«Ennò! Vi futti 'nveci! Raggiunati. Se voi principiate a travagliare quanno il ralogio segna le tri, veni a diri che aviti accomenzato deci minuti prima dell'orario. E chisto veni a significari che in sei jorni di travaglio aviti arrigalato un'ora al vostro patrone! Che in un misi gli aviti arrigalato quattro ore! In tri misi, aviti fatto un jorno 'ntero di travaglio che non vi veni né arriconosciuto né pagato!».

«Minchia! Vero è!» dissi qualichiduno.

Sodisfatto del risultato, Oreste scinnì dal carretto e sinni tornò a corcare.

Si scatinò un burdello.

I carritteri addimannaro al marchisi il pagamento della jornata in più a partiri dall'attrassato, veni a diri da cinco anni avanti, cioè dall'urtima vota che il ralogio era stato rivisionato. Il marchisi s'arrefutò. I carritteri scioperaro.

Per solidarietà coi carritteri scioperaro i minatori.

E per solidarietà coi minatori scioperaro macari gli spalloni, cioè quelli che si carricavano il sùrfaro supra alle spalli e lo portavano sino alle varche.

E scioperaro macari tutti quelli che, a Vigàta, annavano a travagliare a secunno delle ore che battiva il ralogio: quelli che nei forni facivano il pani, i munnizzari, i maestri delle scole limentari, tutti l'impiegati comunali e no... 'Nzumma, un quarantotto.

Da Palermo vinni spiduto a Vigàta a gran vilocità un giornalista per vidiri che stava capitanno da quelle parti.

Il giornalista a forza di spiare a dritta e a manca, finì col non capirici cchiù nenti e fari 'na gran confusioni. Per cui scrisse un articolo che dava la corpa di tutto il viriviri «al ben noto agitatore sovversivo Michele Sparacino».

Nascì macari 'na sottili questioni legali che 'mpignò avvocati di gran nomi.

Quattro anni avanti, al baroni Giuggiù Malatesta era nasciuto un figlio mascolo alle cinco e cinco del matino. Era prisenti alla nascita il notaro Carmelo Lòllaro pirchì quella nascita era 'na facenna dilicata assà.

Il tistamento del baruni Malatesta patre recitava che ove il sò primogenito Giuggiù non avissi avuto un figlio mascolo entro e non oltre le cinco del matino del quinnici marzo del milli e ottocento e novantaquattro, la sò parti di eredità sarebbi passata al secunnogenito Attilio. Ed era stato proprio Attilio a mannare il notaro Lòllaro pirchì si scantava che Giuggiù l'imbrogliava.

Ora, per stabbiliri che il picciliddro era nasciuto doppo le cinco, il notaro si era basato sul ralogio del comune. E siccome l'addetto all'anagrafi non era lo stisso di quello che aviva il ralogio dei ferrovieri, il figlio di Giuggiù era stato registrato come nasciuto alle cinco e cinco. E Giuggiù Malatesta aviva pirduto l'eredità.

Ma ora che si era vinuto a sapiri che il ralogio annava deci minuti avanti, l'avvocato di Giuggiù Malatesta aviva fatto ricorso pritinnenno la restituzioni dell'eredità dato che il picciliddro era in realtà nasciuto cinco minuti avanti che fussero le cinco. L'avvocato di Attilio Malatesta prisintò controricorso, motivannolo col fatto che nisciuno era in grado di diri se già quattro anni narrè il ralogio del comune annava avanti di deci minuti. E se quei deci minuti il ralogio li aviva assommati progressivamenti nei cinco anni successivi alla revisioni?

E po', in linea subordinata, faciva prisenti che se il ricorso della parti avversa viniva accolto, sarebbi successo un catunio della madonna, pirchì tutti gli atti fatti da cinco anni a 'sta parti potivano essiri 'mpugnati.

'Ntanto, per fari finiri lo sciopiro, il marchisi Giannertoni fici 'n accordo in basi al quali detti ai carritteri la mità di quello che volivano. E contemporaneamenti il sò avvocato fici causa al comune.

Nel giro di meno di quinnici jorni, il comune di Vigàta arricivì dudici richieste, ancora in via amichevoli, di risarcimento danni, masannò, in caso di risposta nigativa, si passava alla causa.

Il sinnaco, avanti di prisintari le dimissioni, fici dù cose.

La prima fu di dimannare 'na cifra spavintosa alla società che aviva l'appalto della manutenzioni del ralogio.

E la secunna fu di licinziari l'impiegato dell'anagrafi per «turbativa dell'ordine pubblico».

Il solito giornalista palermitano arrivò, si fici contare le cose, non ci capì nenti e scrissi un articolo che s’intitolava: «Ulteriori guasti sociali provocati a Vigàta dal noto agitatore Michele Sparacino».

Stava per tornarisinni a Palermo, quanno arrivì un tilegramma del direttori: «Urge intervista Sparacino».

Il giornalista, che si chiamava Liborio Sparuto, accomenzò a spiare indove si potiva attrovari a questo Sparacino. Ma nisciuno degli ’nterpellati, ’n cuscenzia, ne sapiva nenti.

Allura scrisse un altro articolo nel quali contava come e qualmenti tutta la popolazioni di Vigàta addifinniva a Sparacino flabbicanno torno torno a lui un muro d’omertà. Il direttori del giornali, arraggiato, mannò un secunno tilegramma: «Si consideri licenziato in caso di mancata intervista».

Che potiva fari il poviro Sparuto? Scrisse l’intervista. Nella quali diciva che era stato portato, bendato, da dù òmini mistiriosi dintra a ’na grotta. Qui i dù l’avivano libbirato dalla benda e lassato sulo. Dintra alla grotta aviva potuto vidiri un pagliarizzo per dormiri, ’na lampa a pitroglio, un tavolino e dù seggie. Supra a ’na pareti ci stava ’na scritta che diciva: «Morte ai patroni!». Doppo un cinco minuti d’attisa, era arrivato Sparacino, armato di dù lupare. Sparuto lo descriviva come un picciotto manco vintino, con una taliata torva che mittiva spavento. L’intirvista era stata brevi. Sparacino aviva ditto che non aviva tempo da perdiri coi giornali, che aviva 'na sula idea pricisa: la morti di tutti i patroni e l'uguaglianza tra l'òmini. E che per questo scopo avrebbi lottato, mittenno a ferro e a foco l'intera provincia, sino alla morti della quali non si scantava dato che non cridiva in Dio. Alla fini dell'intervista, il giornalista faciva un sulo commento: «Da un uomo siffatto non può che venire, a tutti, gran danno».

Al prifetto di Montelusa, alla cui provincia appartiniva Vigàta, per picca non gli vinni un sintòmo quanno liggì il giornali. E detti l'ordini d'arristari immediatamenti a Sparacino. E obbligò il giornalista Sparuto di non cataminarisi da Vigàta dato che era l'unico in grado d'arriconosciri il tirribbili sovversivo.

Naturalmenti, doppo tri jorni che tutta la campagna nei dintorni di Vigàta vinni battuta centilimetro appresso centilimetro, la famusa grutta non s'attrovò. I carrabbineri, nell'occasioni, arristaro a tri latitanti. Ma nisciuno di loro aviva mai accanosciuto al piricoloso sovversivo. L'articolo che Sparuto scrissi s'intitolava: «Sparacino l'inafferrabile».

Alle elezioni, arrisultarono vincitori, per la prima volta, i socialisti. E Sparuto scrissi che Sparacino aviva consignato il comune di Vigàta alla sinistra.

'Ntanto Michele Sparacino sucava il latti materno e crisciva a vista d'occhio. Sarebbi di sicuro addivintato un picciotto beddro e forti.

Due

Erano stati, per la Sicilia, e non sulo per la Sicilia, tempi laidi.

Nel 1894 era vinuta la proclamazioni dello stato d'assedio che stava a significari che cchiù di tri pirsone non potivano mittirisi a parlari 'nzemmula e che a uno l'ammazzavano come un cani se viniva sorpreso a caminare strata strata doppo che il soli sinni era calato.

Quattro anni appresso, vali a diri quanno Michele Sparacino era appena nasciuto, il ginirali Bava Beccaris, a Milano, aviva avuto la bella pinsata di sparari col cannoni contro l'operai.

Dù anni doppo, re Umberto era stato ammazzato da 'n anarchico che di nomi faciva Bresci.

La notizia dell'ammazzatina del re fici 'mpressioni assà tra i nobili e le pirsone civili di Vigàta e per prima cosa s'addecidì di fari fari 'n chiesa 'na funzioni sullenne per l'arma biniditta di sò maistà.

'Na dilegazioni, composta dal marchisi Pecoraro in rappresentanza dei nobili e dal dottori Filippazzo in rappresentanza delle pirsone civili, s'arrecò nella chiesa matrici per parlari col parroco don Talentino e stabbiliri il prezzo, l'ura e il jorno.

«Livativillo dalla testa!» fici don Talentino arresoluto appena che sintì che volivano i dù signori.

«Pirchì?» spiò ammaravigliato il marchisi.

Patre Talentino era uno che parlava spartano.

«Pirchì dù non fa tri!».

«Ennò! Lei si deve spiegare!».

«E mi spiego sì! In primisi pirchì i Savoia ci hanno fottuti con quella gran minchiata di Porta Pia! In secunnisi pirchì ci hanno arrubbato terre, case e dinaro! Lassamo perdiri, masannò mi metto a santiare! Che il vostro re si potissi abbrusciare le corna in saeculorum tra le fiammi dell'infernu!».

Allura la dilegazioni annò nella chiesa di San Giusippuzzo indove ci stava come parroco don Agazio Lomonte, che era nipoti di uno che era stato con Calibarbo in Aspromonte.

«Non se ne parla!».

«E pirchì?» spiò stavota il dottori Filippazzo.

«Quei fitintissimi Savoia hanno fatto sparari a Garibaldi! Doppo che quello gli aviva consignato mezza Italia! Cornutazzi! Nenti, in questa chiesa misse per i Savoia non sinni dicino».

Ristava la chiesa di Maria Vergini, la cchiù vecchia, mezza sdirrupata di fora e di dintra, i cui parrocciani erano genti misirabili e il cui parroco, don Alicuzzo, certe volte diciva missa mezzo

’mbriaco. Non era propio cosa per un re, ma non c’era scelta.

Dato che dintra alla chiesa non potivano capere tutti quelli che sarebbiro vinuti, la dilegazioni e don Alicuzzo s’accordaro che la missa il parrino l’avrebbi ditta propio davanti al portoni aperto della chiesa in modo che la genti potiva sintirla dalla piazzetta, capace di un quattrocento pirsone, che sarebbi stata per l’occasioni addotata di seggie. La duminica che vinni, a mezzojorno, cinco minuti doppo che don Alicuzzo, visibilmenti ’mbriaco come a ’na scimia, aviva accomenzato a diri la missa, supra ai tetti delle case che circonnavano la piazzetta spuntaro ’na decina di òmini ’nfaccialati ognuno dei quali tiniva ’n mano un catino di quelli che servino per mittirici dintra l’acqua. A un signali dato, i deci òmini ’nfilaro ’na mano dintra al proprio catino, pigliaro ’na cosa e po’ la ghittaro supra alle pirsone assittate.

I primi deci che vinniro colpiti dal primo lancio s’addunaro subito, cchiù dall’aduri che dalla sustanzia, che si trattava di mmerda umana.

Nello scappa scappa che ne seguì, cinco fedeli, tri fìmmine e dù òmini, vinniro calpestati dalla genti e foro portati allo spitale di Montelusa.

Stavota a Vigàta arrivaro dù giornalisti. Il solito Sparuto da Palermo e Giovanni Fecarotta da Catania.

Il primo intitolò l’articolo: «Insopportabile oltraggio di Sparacino». Il secunno: «Catturare Sparacino dev'essere un punto d'onore».

Epperciò ai prifetti, ai quistori, data la situazioni, appena che sintivano nominari un anarchico o un bakuniano o un eversivo, accussì chiamavano chi voliva la giustizia sociali, gli viniva la vava alla vucca e gli nisciva il fumo dalle nasche.

In Sicilia, ne avivano arristati a decine.

Ma non ce l'avivano fatta a mannare in carzaro a Michele Sparacino semplicementi pirchì non arrinirscivano ad attrovarlo, a malgrado che ce la mittissiro tutta. Era 'na situazioni 'nsopportabbili per l'òmini che dovivano fari arrispittari la liggi.

Inoltre il giornalista Fecarotta un jorno sì e dù no sinni nisciva con titoli come «Le Autorità chiaramente impotenti davanti a Sparacino», opuro come «Ma il prefetto e il questore di Vigàta che fanno? Dormono?».

Il jorno deci del misi di sittembriro dell'anno milli e novicento e cinco, il giornalista Sparuto vinni convocato d'urgenza dal prifetto di Montelusa. In un conflitto a foco, i carrabbineri avivano ammazzato a quattro briganti, tri erano stati dintificati, il quarto no. Ed era nasciuto il dubbio che potiva trattarisi propio di Michele Sparacino. L'unico in grado di potiri diri se era lui o no era il giornalista, pirchì l'aviva viduto 'n facci duranti la famosa 'ntirvista.

Sparuto, che oramà si era romputo i cabasisi di continuari a sostiniri la farfantaria d'avirlo 'ncontrato, mittuto davanti al catafero dello scanosciuto, addecise di pigliari a volo l'occasioni per niscirisinni fora e addichiarò che non era possibbili nisciun dubbio, che il morto era Michele Sparacino.

E, nell'articolo che scrisse, descrivì minutamenti il catafero dicenno che il corpo prisintava, proprio 'n mezzo al petto, 'na vecchia ferita d'arma da foco a forma di rosa, «residuo certo delle sanguinose imprese del temibile agitatore».

Il prifetto ebbi appena dù jorni di tempo per tirare il sciato e aviva allura allura finuto di congratularisi con l'Arma per la brillanti operazioni quanno gli si apprisintò la marchisa Ardelia Nunnaccaro Stampanaro, la cui soro era dama di corte della Regina epperciò annava trattata di rispetto. La marchisa, che era fìmmina autoritaria e di scarsa parola, spiò al prifetto indove s'attrovava il catafero di Michele Sparacino. Il prifetto le arrispunnì che era stato seppellito il jorno avanti, doppo il racconoscimento da parti del giornalista.

«Lo tiri subito fora» disse la marchisa.

Il prifetto 'ntordunì.

«Vuole che sia riesumato?».

«Non so se questa parola significa quello che voglio io. Io voglio vedere il corpo, chiaro?».

«Ma pe... perché?».

«Lo voglio vidiri e basta» fici la marchisa susennosi e annannosinni senza manco salutarlo.

All'indomani a matino glielo ficiro vidiri.

E la marchisa 'mmediatamenti arriconoscì nel morto un sò nipoti, Carmelino, sequestrato dai briganti tri anni avanti. La ferita a forma di rosa era quanto ristava di 'na vecchia operazioni chirurgica e non un colpo d'arma di foco.

Ne conseguiva che i carrabbineri avivano ammazzato a un 'nnuccenti prigionero dei briganti. Complimenti vivissimi a tutti.

Il capitano dell'Arma che aviva comannato l'operazioni si jocò la carrera.

Il giornalista Sparuto arriconobbi l'errori, «tratto in inganno» come scrisse «da un'incredibile rassomiglianza».

Il giornalista Fecarotta, non essenno stato chiamato al riconoscimento del morto datosi che non aviva mai accanosciuto a Sparacino, si sintì offiso e scrisse un articolo contro il collega, intitolato «A che porta il cattivo giornalismo», nel quali arrivava a diri, sutta sutta, che forsi Sparuto era un complici di Sparacino e aviva apposta avallato l'errori per dari modo a quello di continuare in tutta tranquillità nelle sò nefande 'mprise.

’Ndignato, Sparuto sfidò a duello al giornalista catanisi. Alla pistola.

Sul campo, a Sparuto e a Fecarotta trimavano tanto le mano che parivano aviri la fevri terzana. Il colpo di Sparuto si perse ’n mezzo agli àrboli, quello di Fecarotta pigliò sutta al ginocchio a uno dei sò stissi secondi che stramazzò ’n terra facenno voci per il dolori. Il duello fu sospiso.

Negli anni che vinniro appresso, non si sintì parlari cchiù di Sparacino. Ci fu chi disse che sinni era scappato a Malta e chi ’n Tunisia.

La genti aviva accomenzato a scordarisi di lui, quanno Carmelita, la figlia dell’onorevoli Trimarco, catanisi e politico amico d’importanti pirsonaggi romani, si maritò con il marchisi Filiberto Della Mela, proprietario di tri minere di sùrfaro.

Per fari un rigalo al jenniro, l’onorevoli Trimarco ottenni dalle ferrovie un forti sconto per il sùrfaro avviato nella tratta Caltanissetta-Catania, mentri il costo per la tratta Caltanissetta-Vigàta subiva un liggero aumento. Il che, in paroli povire, viniva a significari ’na mezza ruvina per i commercianti di sùrfaro di Vigàta, dato che accussì il comercio si sarebbi tutto spostato su Catania.

Allura vinni addeciso uno sciopero ginirale al quali parteciparo tanto ricchi commercianti tanto povirazzi come carritteri e spalloni. Doppo lo sciopiro, 'na dilegazioni sinni partì per Roma, vinni ascutata dal ministro e questi disse che avrebbi riconsiderato la cosa. 'Nfatti, doppo 'na simanata, il ministro livò l'aumento previsto per la tratta Caltanissetta-Vigàta e diminuì ancora di cchiù il costo dell'altra tratta.

E allura commercianti e carritteri protestaro cchiù forti di prima. Stabilero di fari 'na granni adunata pubbrica per concordari quello che c'era da fari. Il prifetto non autorizzò l'adunata, la genti s'arreunì lo stisso, 'ntirvinniro i carrabbineri, la genti li pigliò a pitrate, i carrabbineri spararo e ammazzaro a uno, ma subito appresso foro costretti a scapparisinni 'n caserma dalla reazioni che si scatinò.

Pigliati dalla furia, oltre mille vigatesi acchianaro a Montelusa, travolsero i carrabbineri di guardia alla prifittura, sfonnaro il portoni, trasero dintra al palazzo e gli dettiro foco.

Siccome si capiva che prima o doppo qualichi cosa di grosso sarebbi capitato a Vigàta, Sparuto e Fecarotta s'attrovavano già in loco. Sparuto, che voliva allontanari ogni sospetto di complicità con Sparacino, scrisse che era stato proprio Sparacino a 'ncitari la folla a pigliari a pitrate i carrabbineri e po' a guidarla nell'assalto alla prifettura.

Non sulo l'aviva arriconosciuto, ma macari Sparacino aviva arriconosciuto a lui, tanto è vero che gli aviva arrivolto «un ghigno orribile».

L'articolo di Fecarotta, seppure diverso in qualichi dettaglio, nella sustanzia confermava l'articolo del collega.

Quello che stava succidenno a Vigàta non 'mpidì che il costo ridotto per la tratta Caltanissetta-Catania vinissi approvato.

E la 'mprisa cchiù spittaculosa avvenni il jorno che da Caltanissetta partì il primo treno carrico di sùrfaro diretto 'n Catania.

I carrabbineri e la polizia scortaro i carretti che dalle minere del marchisi Della Mela annavano alla stazioni, e supra alla banchina di carrico c'era 'na fila di carrabbineri armati che non finiva cchiù. La partenza avvenni senza 'ncidenti.

A meno di cinco chilometri dalla stazioni, mentri travirsavano un tratto in aperta campagna, il machinista Brucculeri s'addunò che supra ai binari c'era qualichi cosa che non accapì. Allura disse a Spiridiuni, l'aiutante fochista, di taliare macari lui. Si ficiro pirsuasi che si trattava di un tronco di un àrbolo grosso assà. Santianno, Brucculeri firmò il treno e scinnì con Spiridiuni che gli annava appresso.

«Ce la facemo a spostarlo?» spiò Brucculeri dubitoso.

Spiridiuni non fici a tempo ad arrispunniri che vittiro nesciri di cursa, da 'na speci di boschetto, a sei òmini a cavaddro, 'nfaccialati e armati di fucili. Il machinista e l'aiutanti fochista cadero 'n ginocchio a vrazza isate.

«Per carità, non ci ammazzate! Semo patri di famiglia!».

Quelli manco gli arrispunnero. Scinnero dai cavaddri, con un pezzo di corda longo attaccaro a Brucculeri e a Spiridiuni allo stisso àrbolo e po' s'addedicaro al treno.

Tempo 'na mezzorata, tri carrozze avivano pigliato foco.

Il machinista e il sò aiuto vinniro libbirati un'orata appresso. 'Nterrogati dai carrabbineri dissiro che il capo dei sei di nomi faciva Michele pirchì accussì l'avivano 'ntiso chiamare dai sò compagni. I carrabbineri attrovaro, nelle vicinanzi dei vagoni merci 'ncindiati, un cuteddro a serramanico che portava 'ncise le iniziali «M. S.».

E allura non ebbiro cchiù dubbi. Qualichiduno fici ossirvari che le iniziali potivano significari Mario Smecca, Massimo Sciortino e via di 'sto passo. Non ci fu nenti da fari. «Fatti la fama e curcati», si dice dalle nostre parti. E accussì il giornalista Maurizio Lavaccara, che aviva pigliato il posto di Sparuto, scrissi un articolo intitolato: «Michele Sparacino torna alla ribalta!».

Tre

All'ebica di questi fatti, Michele Sparacino aviva deci anni ed era da quattro che travagliava campagne campagne circanno di aiutari come potiva la famiglia.

Quanno che scoppiò la prima guerra munniali, nel milli e novicento e quattordici, vinniro chiamati alle armi i sò tri frati cchiù granni, Matteo, Gerlando e Luzzo.

Nel milli e novicento e sidici lo stisso Michele, che aviva oramà diciotto anni, dovitti passari la visita di leva. S'apprisintò al distretto e vinni fatto mittiri nudo 'nzemmula con un cintinaro di picciotti della sò stissa età. A un certo momento si vinni ad attrovare davanti a un tavolino tutto cummigliato di carte darrè al quali c'era un vecchio marisciallo con un paro di lenti che parivano funni di buttiglia.

«Come ti chiami tu?».

«Sparacino Michele».

Il marisciallo circò tra i fogli che aviva davanti, ne pigliò uno, lo liggì 'mpiccicanno il naso supra alla carta.

«Minchia!» fici tutto ’nzemmula.

Si susì di scatto dalla seggia e annò a pruiri il foglio a un capitano. Quello se lo taliò e meno di cinco minuti appresso dù militari, che gli tinivano puntato di supra il fucili, lo ficiro rivistiri.

«Al fronte, in prima linea, ti passeranno i bollenti spiriti!» gli dissi ’n facci, arraggiato, il capitano.

E po’, arrivolto ai soldati:

«Portatelo via».

Cinco jorni appresso, com’è e come non è, Michele Sparacino s’arritrovò dintra a ’na trincea del Carso, china di morti e di fango, con gli astrechi che gli sparavano da tutte le parti.

«Ma che minchia gli ho fatto, a questi qua?» si spiò ancora ’ntordonuto da quello che gli stava capitanno.

E con «questi qua» non s’arriferiva sulamenti agli astrechi.

Si fici otto misi di prima linia e per tutto ’sto tempo sò patre e sò matre non ebbiro cchiù notizie di lui. Gli altri tri figli ’nveci mannavano cartoline militari nelle quali dicivano che stavano boni. Le cartoline che arricivivano dal fronti, i Sparacino se le facivano leggiri da un vicino di casa, dato che non avivano fatto le scole e del resto i fratelli Sparacino le cartoline se le facivano scriviri da qualichi compagno dato che manco loro avivano fatto le scole.

Ora il fatto era che Michele spidiva ogni simana 'na cartolina a sò patre e a sò matre, ma non arrivava pirchì viniva bloccata dalla censura militari.

Quanno Biancacci, il compagno che sapiva leggiri e scriviri, gli spiava che voliva scrivuto nella cartolina, Michele arrispunniva che doviva mittirici la virità e cioè che la guerra era 'na cosa fitusa. E accussì annò a finiri che le cartoline s'assimigliavano tutte:

«Carissimi genitori qua c'è lo spara spara che tutti s'ammazzano come cani io sono sempri rifriddato e spero finisci presto 'sta fitinzia di guerra vostro figlio Michele».

Alla dudicesima cartolina, l'addetto alla censura signalò il soldato Michele Sparacino come «pericoloso disfattista» e la signalazioni arrivò al capitano Filippoti, che era il comannanti della compagnia alla quali appartiniva Sparacino.

Un jorno che era mezzo assintomato dal friddo e dalla fami pirchì il rancio non era stato possibbili distribuirlo per le cannonate nimiche, Michele si sintì toccari supra a 'na spalla dalla punta di un frustino. Isò l'occhi. Davanti a lui ci stava il capitano Filippoti che lo taliava malamenti. E allato a lui c'era il tinenti Pintacuda, un grannissimo figlio di buttana, volontario, odiato da tutto il reparto pirchì non aviva considerazioni manco per i moribunni.

«Attenti!» fici il tinenti con una voci che l'intronò.

Si susì, si misi sull'attenti.

«Sei tu Sparacino Michele?» spiò il capitano.

«Signorsì».

«Sei tu che l'altro ieri ti sei lamentato del rancio?».

«Signorsì. C'erano i vemmi».

«Non erano vermi, coglione! Erano spaghetti!».

«Io non hajo mai viduto i spaghetti caminare».

Il capitano parse nisciuto pazzo.

«Tu sei uno schifoso disfattista! Un lurido sovversivo! Ti conosciamo bene! Attento a quello che fai e a quello che dici! Tu sei un sobillatore nato! Al primo errore, ti ritrovi davanti al plotone d'esecuzione! Capito, farabutto? Tenente!».

«Signorsì!».

«Questo bel tomo l'accompagni subito all'osservatorio Beta!».

Michele, che già sintiva un friddo di moriri, si congelò. Pirchì sapiva che cosa era l'osservatorio Beta. Essiri mannato là assignificava priciso 'ntifico a 'na cunnanna a morti.

«Andiamo» fici Pintacuda.

Caminaro dintra alla trincea per un centinaro di metri, po' il tinenti gli indicò 'na scaliceddra di ligno.

«Sali. Ti troverai sopra a una piattaforma sopraelevata. Quello è l'osservatorio. Ci sono un binocolo e una tromba. Se capisci che il nemico sta organizzando un attacco, suona la tromba. Spero che ti sparino subito in fronte».

Ma pirchì minchia ce l'avivano tutti con lui?

Michele acchianò e appena che fu a livello del tirreno vitti davanti a lui cinco o sei cataferi uno supra all'autro. Acchianò ancora e arrivò alla piattaforma che tiniva supra 'na speci di garitta tutta chiusa davanti e ai lati con assi di ligno.

Dintra ci stava un morto, il compagno mannato prima di lui. Per potiri trasirici, Michele dovitti ghittare il catafero fora, supra all'autri. C'era 'na feritoia dalla quali, col binocolo, si potiva taliare la trincea nimica.

Ma squasi subbito accapì che non aviva bisogno del binocolo, gli abbastava la vista che aviva bona assà.

Chiaramenti, nella trincea nimica c'era un bravo cecchino che arrinisciva a sparari 'n mezzo alla fronti ai soldati italiani. S'acculò e accomenzò a raggiunari pirchì aviva la ferma 'ntinzioni di scapottarisilla. Raggiuna che ti raggiuna, 'ntanto finì di chioviri e spuntò il soli che pigliò in pieno la garitta. Fu proprio il soli a fargli viniri 'na pinsata. Pigliò il binocolo, lo posò nella feritoia e s'acculò novamenti. Manco un minuto doppo, un colpo di moschetto passò un centilimetro supra al binocolo e annò a perdersi nel vacante che c'era al posto della pareti di funno.

Dunqui il cecchino s'arregolava dallo sparlucciichio delle lenti del binocolo quanno vi battiva la luci del soli!

Isò un vrazzo, recuperò il binocolo, lo posò 'n terra, si isò e s'affacciò a taliare dalla feritoia. Nisciuno gli sparò. Senza il riflesso del binocolo, il cecchino non si potiva addunare della sò prisenza.

Doppo dù jorni qualichiduno dalla trincea gli fici voci che era arrivato il cambio. Non s'aspittavano che lui arrispunniva, erano certi che era già catafero. Però lo era squasi, pirchì nisciuno se l'era sintuta d'acchianare a portargli il rancio. Al compagno che arrivò, spiegò la facenna del binocolo e sinni scinnì in trincea 'n tempo per inchirisi la gavetta. Stavota non ci fici caso che i spaghetti caminavano e se li mangiò.

Quanno il capitano Filippoti lo vinni a sapiri, 'mpazzì novamenti dalla raggia e lo mannò a chiamari.

«Perché non sei morto?».

«Boh. Non lo saccio».

«Io sì invece! Intelligenza col nemico! Tenente!».

«Signorsì!» fici Pintacuda.

«Lo metta ai ferri!».

Non arriniscì a finiri la frasi che principiò il finimunno. Gli astrechi accomenzaro un violento foco d'artiglieria e po' attaccaro. Ma non ce la ficiro a pigliari la trincea e dovittiro arritirarisi.

Allura vinni ordinato il contrattacco.

Mentri avanzavano verso il nimico, Michele Sparacino truppicò contro un morto e annò a finiri 'n terra affacciabbocconi.

A causa della caduta, dal moschetto partì un colpo. La pallottola annò avanti per i fatti sò fino a quanno non incontrò la nuca del capitano Filippoti, ammazzannolo.

Appena tornato dintra alla trincea, Michele vinni assugliato dalle voci di pazzo del tinenti Pintacuda che, taliannolo con l'occhi sgriddrati, gli puntava contro la pistola:

«Assassino! Ti ho visto con questi occhi sparare al capitano Filippoti! Faccio giustizia sommaria!».

Il sirgenti Mariano Cubeddu gli si parò davanti:

«Tenente, non faccia sciocchezze!».

Arriniscì finalmenti a convincirlo. E Michele Sparacino fu portato in fortizza a Verona per essiri giudicato dalla corti marziali.

Il giornali di Verona pubblicò la notizia, che vinni ripigliata dal giornali palermitano. Erano cinco righe di cronaca, ma abbastaro per fari satare dalla seggia al giornalista Lavaccara appena che il sò occhio gli cadì supra. Non gli parse vero di scriviri un articolo intitolato: «Michele Sparacino non si smentisce!».

L'articolo lo liggero macari quelli del giornali di Verona che volliro da Lavaccara 'na speci di cunto della vita, morti e miracoli di Sparacino. E Lavaccara fici un dittagliato resoconto accomenzanno dalla prima 'mprisa accanosciuta e che risaliva al milli e ottocento e novantotto.

Naturalmenti l'articolo lo liggero macari il ginirali Carlo Alberto Torres, presidenti della corti marziali, e con lui il colonnello Berti-Torrone, che sostiniva l'accusa, e il maggiori Santonostaso, che avrebbi dovuto fari la difisa dell'imputato ma che non aviva avuto ancora il tempo di vidirlo e parlari con lui.

E tutti si ficiro subito pirsuasi che il plotoni d'esecuzioni sarebbi stato il minimo per il soldato Michele Sparacino.

Po' finalmenti il maggiori Santonostaso annò ad attrovari 'n cella a Michele, pirchì tra 'na decina di jorni sarebbi accomenzato il processo.

Si era portato appresso 'na vintina di cartoline fornitegli dalla censura e l'articoli di Lavaccara.

Si fici rapriri la porta della cella, trasì, detti un'occhiata al carzarato, niscì novamenti fora. Il militare carzareri lo taliò 'nterrogativo.

«Avete sbagliato cella. Non è Sparacino».

«Ma signor maggiore...».

«Avete sbagliato, vi dico!».

Il militari carzareri annò a chiamari al sò superiori. Il quali confirmò che il picciotto dintra alla cella era Michele Sparacino. Il maggiori allura non lo volli cchiù vidiri e annò a trovari al colonnello Berti-Torrone.

«Guarda che questo Michele Sparacino non può essere lo stesso di cui parla il giornalista siciliano».

«Perché no?».

«Perché il nostro ha vent'anni o poco più, mentre lo Sparacino sovversivo dovrebbe averne almeno una quarantina. Secondo me, è un caso di omonimia».

«Resta il fatto che ha sparato al suo capitano».

«Ti voglio segnalare che il sergente Mariano Cubeddu si è messo a rapporto e ha raccontato, a nome del plotone, un'altra versione del fatto».

«E cioè?».

«Che si è trattato di un incidente».

«Che cazzo vuoi che m'interessi quello che dice un sergente qualsiasi?».

«Beh, vedi, il sergente Mariano Cubeddu è uno dei pochi che abbiano avuto in vita la medaglia d'oro».

Il colonnello Berti-Torrone annò a parlari della facenna col ginirali Carlo Alberto Torres.

«Io me ne fotto e lo faccio fucilare lo stesso!» replicò il ginirali.

«Generale, mi perdoni se oso. Non sta a me ricordare a lei quanti focolai di ribellione s'accendono ogni giorno tra le nostre truppe. Il sergente Cubeddu è molto ascoltato e seguito. Penso che sarebbe un errore se...».

«Va bene» tagliò il generale che aviva tra le mano 'na dicina di fucilazioni certe epperciò a una potiva arrinunziari. «Mettete in giro la voce che il soldato Sparacino è stato prosciolto in istruttoria e speditemelo in primissima linea. Spero che ci resti appena arriva».

Tri jorni appresso Michele s'attrovò in un posto che si chiamava Caporetto.

E quanno arrivò, tutti i sò compagni si erano già fatti pirsuasi che lui aviva ammazzato al capitano e che era stato accussì abbili di fari accridiri che si era trattato di 'na disgrazia.

Quattro

E nella stissa nuttata il tinenti Pintacuda lo mannò col caporali Galati e il soldato Vallarino a tagliari i riticolati della trincea nimica, ma i nimici li sintero trafichiare appena che avivano accomenzato e 'na raffica di mitragliatrici spazzò via a Galati e a Vallarino.

Michele tornò narrè ancora col tronchese 'n mano.

«Da sulo non ce la pozzo fari».

Allura il tinenti Pintacuda ordinò ai soldati Stefanucci e Nandigò di annare 'nzemmula con Sparacino.

'N'altra raffica e s'arripitì la stissa storia.

Sparacino tornò e disse che aviva bisogno di altri dù òmini. Il tinenti Pintacuda detti l'ordini ai soldati Marrone e Vitaliano.

Ma quelli non si cataminarono. Anzi, Marrone, 'mpalato sull'attenti, disse:

«Ci vada lei, signor tenente!».

Pintacuda scocciò la pistola mittennosi a fari voci:

«Questo è un ammutinamento! Io vi faccio decimare!».

Allura Sparacino, per livari le cose di mezzo, disse al tinenti:

«Lassasse perdiri, ci torno da sulo».

Al tinenti Pintacuda vinni la vava alla vucca.

«Sei sicuro che a te non t'ammazzano, eh, farabutto? Questa è la prova evidente che tu sei d'accordo col nemico! Come fai a farti riconoscere, eh, traditore?».

E stava per sparargli quanno il sirgenti Cubeddu gli detti 'na manata sul vrazzo e gli fici cadiri 'n terra la pistola.

Doppo manco tri jorni che stava 'n trincea, senza un minuto di paci, senza potiri chiuiri l'occhi per cinco minuti a causa dei botti delle cannunate, mangianno un jorno sì e tri no, vinni 'mproviso l'ordini di ripiegamento. La prima parti della ritirata si svolgì bastevolmenti ordinata, tanto che la compagnia alla quali appartiniva Michele arrivò squasi al completo in un paisuzzo delle retrovie.

Il tinenti Pintacuda, offiso nel sò onori di militari pirchì i soldati non si erano fatti ammazzari tutti 'nveci di scappari davanti al nimico, si misi subbito a rapporto.

Contò al ginirali comannanti che la compagnia «aveva ceduto per la superiorità numerica e di volume di fuoco del nemico, questo non si poteva negare, ma soprattutto perché lo spirito combattivo, l'amor di patria e il senso del dovere erano stati subdolamente inquinati e resi vani dalle azioni e dalle parole disfattiste del sergente Mariano Cubeddu, che aveva rinnegato il suo glorioso passato di combattente per il quale gli era stato concesso il riconoscimento supremo, la medaglia d'oro, e soprattutto del soldato Michele Sparacino, un autentico e comprovato sovversivo sobillatore e disfattista».

In conclusioni, spiava l'autorizzazioni a mettiri ai ferri e quindi a fucilari a Sparacino, in quanto il sirgenti Cubeddu era morto duranti la ritirata.

Naturalmenti, il ginirali comannanti consentì.

E il tinenti Pintacuda, filici di potirisi vindicari finalmenti del soldato Sparacino che tante malafiure gli aviva fatto fari, mannò un caporali e dù soldati ad arristarlo.

Ma quelli, per quanto lo circarono, non l'attrovaro.

Spiaro ai compagni di Michele indove l'avivano viduto l'urtima volta e arricivero risposti che uno diciva 'na cosa e l'altro ne diciva una diversa.

Appena rifirero la scomparsa di Sparacino al tinenti Pintacuda, questi non ebbi nisciun dubbio.

Michele Sparacino aviva disertato approfittanno della confusioni della ritirata. Ancora 'na vota, «fatti la fama e curcati».

E il ginirali comannanti 'nfilò il nomi di Michele dintra a 'n elenco di disertori che, se vinivano arritrovati, dovivano essiri fucilati 'mmidiato, senza processo. I nomi dei disertori foro macari mannati ai rispittivi pàisi d'origgini, in modo che, se si ripresentavano nelle loro case, vinivano 'ncarzarati e «passati per le armi».

Inutili diri che quanno il giornalista Lavaccara vitti il nomi di Michele Sparacino nell'elenco arrivato 'n Sicilia, scrissi un articolo sdignato che era 'ntitolato: «Non poteva che essere un disertore».

Ma il soldato Sparacino unni era annato a finiri?

Nella nuttata fitta che accomenzò la ritirata, Michele, appena che principiò a strisciari dintra alla trincea per po' mittirisi addritta e scappari, vinni pigliato al collo da 'na scheggia di shrapnel.

Ebbi fortuna in quanto si trattò di 'na ferita di striscio che gli fici però perdiri sangue e tempo assà prima di arrinesciri ad attupparla con un pezzo della cammisa. Non si addunò però che il colpo aviva tranciato la catinella appisa al collo che riggiva la piastrina di riconoscimento.

Fora dalla trincea, non attrovò a nisciuno dei sò compagni e si misi a caminare annanno nella direzioni cuntraria a quella indove cchiù 'nfuriava il bummardamento nimico.

Ma a ogni passo che faciva si sintiva sempri cchiù stanco e cunfunnuto.

Erano jorni che non mangiava e il sangue perso stava facenno il resto. Doppo un'orata non ce la fici a proseguiri e si stinnicchiò darrè a 'na troffa d'erba serbaggia addrummiscennosi squasi subbito.

Raprì l'occhi non seppi quanto tempo doppo pirchì gli parse che stava chiovenno. E torno torno a lui sintì che parlavano tidisco.

E allura accapì che non chioviva, ma che un sordato nimico gli stava piscianno di supra cridenno che era un catafero. Non si cataminò, in modo che continuassiro a cridirlo morto. Tanto, che differenza faciva?

Doppo tanticchia i tidischi sinni ghiero.

Allura lui ripigliò a caminare fino a quanno si vitti la strata tagliata da un granni fiumi.

Non sapiva natari epperciò non s'abbinturò dintra all'acqua. E po' non l'avrebbi fatto manco se sapiva natari, pirchì il fiumi era grosso per le chiovute e la correnti era forti assà.

Si stinnicchiò novamenti 'n terra pirchì era morto di stanchizza e aspittò.

Alle primi luci dell'arba, vitti che a 'na cinquantina di metri ci stava 'na speci di ponti fatto di ligno ma mezzo sdirrupato.

C'era un silenzio strammo, nisciuno sparava un colpo.

Si susì, annò verso il ponti, ci acchianò e al secunno passo che fici 'na pallottola sparata da 'na sintinella taliàna, che l'aviva scangiato per un sordato nimico, lo pigliò preciso 'n mezzo alla fronti facennolo cadiri morto dintra al fiumi.

E ccà finisce la storia della doppia vita di Michele Sparacino.

E d'altra parti, a bono considerari la sò esistenzia, non potiva che finiri accussì: ancora 'na volta, l'urtima, scangiato per un altro.

Lo saccio benissimo che il titolo parla di 'na tripla vita. Ma io, arrivato a 'sto punto, sarei tentato di cangiare titolo e di non scriviri cchiù un rigo.

Pirchì mi è vinuto un dubbio: si può continuari a chiamari vita quello che capita a un omo doppo che è morto?

No, non sto parlanno di cose come la sopravvivenza nell'aldilà o l'immortalità dell'anima, mi arriferisco semplicementi a quello che può continuare a succediri a un omo, supra a questa terra, macari doppo che è morto. O meglio: non a un omo, ma al corpo di un omo. Chiaro? E supra a questa terra, torno a ripetiri.

Epperciò tutto quello che veni fatto a quel catafero, fa parti ancora della sò ex vita o no?

Forsi l'unica è fari accussì: io la storia la cunto lo stisso, ma voi potiti libberamenti non cridirici, d'accordo?

Il corpo di Michele Sparacino cadì nelle acque del fiumi e sinni calumò 'n funno subbito per il piso dello zaino.

La correnti accominzò a farlo arrutuliari come 'na trottola e ogni tanto lo mannava a sbattiri contro a qualichi masso dal quali rimbalzava per ripigliari a rutuliari.

Se 'nveci annava a sbattiri con un altro catafero, a rimbalzare erano in dù, uno da 'na latata e l'altro dalla latata opposta. E in questo continuo rutuliamento Michele pirdiva via via qualichi cosa, l'ermetto, lo zaino, le fasce delle gamme...

Quanno, doppo jorni e jorni, arrivò alla foci, annò a firmarisi contro a 'na riti che era stata mittuta apposta per evitare che centinara di cataferi annassiro a finiri a mari aperto.

Po' vinni ricuperato da un riparto spiciali che spartiva i morti in dù categorie: quelli arriconoscibili dalla piastrina o da qualichi altro documento, che vinivano mittuti tutti da 'na parti, e quelli ai quali non era possibbili dari un nomi, che vinivano mittuti da un'altra. Michele Sparacino annò a finiri tra questi urtimi.

Qualichi anno appresso, tutti i cataferi dei sordati morti ristati scanosciuti vinniro raccolti in un unico camposanto.

Che era tutto fatto di croci senza nomi.

Po', qualichi anno ancora appresso, al camposanto di croci senza nomi, e senza sciuri portati da parenti o zite o mogliere, e diserto di visite il jorno dei morti, e sarbato dall'abbandono sulo dalla cura del custodi che aviva perso un figlio 'n guerra, successi all'improviso il viriviri.

Da 'na decina di machine longhe e nìvure scinnero ginirali in alta uniformi, òmini in tait, un cardinali, signure 'ngioiellate col velo longo e nìvuro supra ai capilli.

Si misiro a caminare 'n silenzio tra le filere di tombe e po' 'na signura col velo che annava 'n testa a tutti 'ndicò 'na croci a caso e disse:

«Questo».

La cascia di ligno rustico dintra alla quali ci stava il corpo di Michele Sparacino fu cangiata con una cascia che ci volivano occhi per taliarla, tutta d'ebano massiccio 'ntagliato e con una gran croci d'oro, mentri che tutti sinni stavano 'mpalati sull'attenti e 'na banna sonava 'n continuazioni marce militari.

Doppo la binidizioni del cardinali, la cascia nova vinni mittuta supra a un camion militari cummigliato di bannere e portato a passo d'omo di paìsi 'n paìsi.

E siccome che la Storia arrutulia òmini e cose pejo che l'acqua del fiumi che arrutuliava i cataferi, a comannari la scorta d'onore vinni designato l'ex tinenti Pintacuda, ora capitano per meriti di guerra.

E in ogni paìsi che passava c'erano la banna e le autorità ad aspittarlo e reparti dell'esercito che prisentavano le armi e le campani delle chiese che sonavano e qualichi fìmmina anziana che s'agginocchiava chiangenno strata strata e lo chiamava:

«Figlio mio, figlio mio...».

Dato che non accanoscevano il nomi di quel poviro militi 'gnoto.

Che era quello di Michele Sparacino.

Quanno finalmenti arrivò a Roma e ad aspittarlo c'era macari il re e la piazza grannissima era tutta un mari di silenzio e di teste e la cascia vinni 'nfilata dintra a 'na speci di tomba di màrmaro 'n cima a 'na scalunata di màrmaro che portava a un palazzo di màrmaro, al giornalista Lavaccara, 'spressamenti 'nviato nella capitali per la cirimonia, vinni 'n testa come accomenzare l'articolo da mannare al giornali:

«Avremmo voluto avere oggi davanti a noi i traditori, i vili, i rinnegati, i disertori come Michele Sparacino, per costringerli a inginocchiarsi davanti al sacro sacello...».

I quattro Natali di Tridicino

Uno

Tridicino era stato accussì chiamato di nomi pirchì era il tridicisimo figlio di Tano Sghembari e di Tana Pillitteri.

Ed era figlio unico, in quanto non aviva cchiù né frati né soro essenno che tutti l'autri dudici erano morti uno appresso all'autro quanno che c'era stata la passata di 'na terribili pidimia di qualera.

Tano possidiva 'na varca a vela, che s'era accattata col dinaro che gli aviva lassato in ridità un sò zio, con la quali annava a piscari aiutato da sò mogliere Tana, e campava accussì, vinnenno quello che arrinisciva a tirari fora dall'acqua con la riti.

Come i frati e le soro che l'avivano priciduto, Tridicino nascì proprio dintra a quella varca, sò matre si sgravò mentri che attrovavasi a bordo, a sei miglia da Capo Russello, la matina del quinnici di maio del milli e ottocento e deci.

Appena che vinni alla luci, Tano lo pigliò e lo puliziò 'nfilannolo nell'acqua di mari. Quanno che un attimo doppo lo tirò fora, il corpo di sò figlio era completamenti 'nturciuniato nelle alghe, squasi che il mari l'avissi voluto arraccanosciri come a 'na criatura che gli appartiniva.

E sempri dintra alla varca Tridicino si sucò il latti materno, criscì, 'mparò a stari addritta, passò le malatie che venno a tutti i picciliddri, sanò, e a sei anni era già tanto forti e travagliatore che potiva aiutari a sò patre nella manopira della vela.

Quanno che fici deci anni, sò matre Tana pinsò bono di non annare cchiù a mari, tanto Tano oramà l'aiutanti l'aviva e lei potiva finalmenti pirmittirisi di chiangiri i sò figli morti. Tana si misi a fari la fìmmina di casa in modo che i sò dù òmini, tornanno dalla fatica, ogni jorno attrovassero qualichi cosa di càvudo da mangiari.

Tridicino era 'na speci di pisci, capace di stari sott'acqua chiossà di cinco minuti filati senza ripigliare sciato e d'arrivari 'n grannissima profunnità in un vidiri e svidiri.

Se la scialava ad agguantari con le mano certi purpi granni e grossi quanto a lui e a strapparli dalli scogli indove quelli s'aggrampavano con tutti i tintacoli e po' certe vote si mittiva a jocare a tistate coi delfini che annavano appresso alla varca.

Aviva macari 'n'autra particolarità.

A sidici anni accanosciva alla perfezioni 'u giro del tempo e la cunnutta dei venti e delle correnti che manco un marinaro con una spirenzia cinquantina.

Capitava che spisso e volanteri l'autri piscatori s'arrivolgivano a lui per consiglio.

«Tridicì, dumani che facemo, niscemo?».

Tridicino taliava il mari, il celo, la cursa delle nuvoli, il movimento dell'acqua e po' sintinziava:

«Nisciti presto, pirchì a mità matino farà burrasca forti».

E a mità matino, puntuali, si scatinava burrasca.

'Na vota che sò patre non era potuto annare a piscari pirchì aviva la 'nfruenza, Tridicino vinni 'nvitato nella varca di Japichino Scozzari, che era il cchiù vecchio e sperto marinaro di Vigàta e che non aviva figli o nipoti.

«Ci veni con mia, Tridicì?».

«Zù Japichì, vossia mi devi ascusari, ma non mi pari cosa di nesciri. Si pripara un malottempo tinto assà».

«Lo saccio che non è cosa, Tridicì. Ma io non voglio nesciri per pigliari pisci».

«E allura pirchì?».

«Se avemo fortuna, t'imparo l'unica cosa di mari che ancora non accanosci».

«Mi voliti fari 'mparari la vostra arti?».

«Sì. Tu nni sì digno».

«Vegno» fici Tridicino.

E si sintì filici e scantato in una botta sula.

Pirchì 'u zù Japichino era l'unico marinaro di tutta la costa a possidiri, a quanto si diciva, l'arti e il coraggio di mittirisi facci a facci con la dragunara, accussì era chiamata la tirribbili trumma marina, e di tagliarla con un colpo sulo.

Ed era chiaro che, non avenno eredi, voliva trasmittiri a lui il sigreto che picca pirsone al munno accanoscivano.

Era un'arti antica e sigreta che non stava scrivuta in nisciun libro di mari, passava di vucca 'n vucca, di generazioni in generazioni, a Japichino gliel'aviva 'mparata sò patre Nunzio, a Nunzio sò patre Malino e accussì s'acchianava e s'acchianava narrè nella notti del tempo fino a quanno si pirdiva il nomi del primo che aviva accaputo come si faciva a tagliari la dragunara.

Ma Tridicino era macari scantato pirchì aviri a chiffare facci a facci con la dragunara squasi sempri significava morti per acqua di l'omo e distruzioni completa della varca.

Gli era capitato, a Tridicino, di vidiri 'n luntananza 'na dragunara e non se l'era cchiù scordata.

Era come uno 'mbuto giganti che funzionava arriversa di come funzionava uno 'mbuto: 'nveci di fari scinniri l'acqua verso il vascio se la sucava dal mari fino a portarla 'n celo, era àvuta quanto un palazzo di cinco piani, la parti stritta 'nfilata dintra al mari, la parti larga rapruta 'n mezzo alle nuvoli come un gigantisco sciuri maligno, e si sucava tutto quello che 'ncontrava nel sò camino e po' facennolo firriari vilocementi nel sò interno se lo portava fino alla massima altizza e da lì lo lanciava lontano, come capita quanno sputi supra a 'na trottola.

E la rumorata scantusa che faciva!

Cento para di tori arraggiati che arrumugliavano tutti 'nzemmula avrebbiro fatto meno frastono.

Col vento forti 'n puppa, filavano ch'era 'na billizza, ma viniva difficili governari la vela.

Via via che la costa addivintava 'na linia tanticchia cchiù scura tra celo e mari, i cavaddruna si facivano sempri cchiù àvuti e violenti, erano come cazzotti alla panza della varca che si nni risintiva tanto che il fasciami si lamintiava priciso 'ntifico a 'na criatura che provava dolori.

L'occhio esercitato di 'u zù Japichino fu il primo a vidiri la dragunara a granni distanzia, 'na speci di fumo nìvuro dintra al grigio uguali di l'aria e dell'acqua.

«Eccola!» gridò.

Tridicino taliò nella direzioni che Japichino 'ndicava e la vitti.

Era come 'na vestia sarbaggia, 'na mala vestia potenti e scantusa, che s'avvintava verso di loro volanno e minazzannoli con una speci di scotimento di l'aria che pigliava sono e pariva la voci del giudizio niversali.

Annichiluto dallo scanto, Tridicino affirrò 'mmidiato il timoni con le dù mano e circò di cangiare rotta.

«No! No! Dritto contro la dragunara!».

La voci di 'u zù Japichino, che puro era potenti, gli arrivò appena appena, mangiata da quella della vestiazza firoci.

Tridicino bidì, a malgrado che trimava tutto già sintennosi pigliari dal gelo della morti.

Tempo un attimo Japichino, che pariva essiri tornato picciotto, ammainò, si misi ai remi e principiò a vogari alla dispirata verso il becco-pompa dell'armàlo 'nfilato nell'acqua.

Quanno che la prua fu a dù metri dalla dragunara, si susì addritta, fermo, 'mmobili, un rimo 'n mano tinuto àvuto supra alla sò testa come 'na lancia, e po', dicenno qualichi cosa che Tridicino non accapì, lo conficcò usanno stavota tutte e dù le mano, con tutta la forza che aviva, in un punto priciso del becco-pompa, a circa dù metri d'altizza dal pilo dell'acqua ribollenti.

Subito, indove la punta del remo era trasuta, si raprì come uno squarcio in un tissuto, s'allargò, l'interno del corpo della dragunara s'ammostrò per un attimo fatto priciso alle maglie d'una riti a spirali che cidivano una appresso all'autra, po' quel corpo di mostro pirditti forma, consistenzia e forza, addivintò sulo 'na massa gigantisca d'acqua che s'arrovesciò con violenza supra alla varcuzza inchiennola tutta e facenno cadiri ai dù òmini 'n mari.

«Hai viduto come si fa?» spiò Japichino mentri che stavano tornanno a ripa.

«Sissi, zù Japichì. Ma come aviti fatto a capiri qual è il punto priciso indove 'nfilari 'u rimo?».

«La testa della dragunara è uguali a quella d'ogni autra vestia. Avi macari l'occhi. E tu devi pigliarla in uno dei dù occhi che sunno pricisi 'ntifichi a dù granni pirtusa. Se sbagli il colpo, sei fottuto, la dragunara t'afferra e non hai cchiù salvizza».

«Mi parsi, ma forsi mi sbagliai, che dicivavu macari qualichi cosa che non sintii».

«Non ti sbagliasti. Quello è lo scongiuro sigreto. Va ditto a mezza voci mentri ti pripari col rimo».

«Me lo potiti arrivilari?».

«Certo. Ma tu prima mi devi giurari che non lo dici a nisciun essiri viventi supra alla terra».

«Ci lo giuro».

'U zù Japichino arridì.

«Non abbasta».

«Allura che devo fari?».

«Devi fari un giuramento sullenni, che 'na vota fatto non si pò rinnigari, supra alla vita e supra alla morti».
«Non l'accanoscio».
«Arripiti con mia».
'U zù Japichino si susì addritta. Macari Tridicino. 'U zù Japichino si misi 'na mano supra al cori. Tridicino puro lui.
Po' 'u vecchio dissi:

Animi dei marinari morti annigati,
taliate a nui e po' testimoniati:
ch'io mora sulo, 'nfami e dispiratu
si alla palora data aiu mancatu.

Tridicino l'arripitì.
«Ora t'arrivelo lo scongiuro».
«No» fici Tridicino.
'U zù Japichino lo taliò 'mparpagliato.
«Pirchì?».
La risposta di Tridicino arrivò dicisa.
«Pirchì sugno certo che non avrò mai 'u coraggio vostro davanti a 'na dragunara».
«Non si sapi mai prima se uno avi 'u coraggio di fari 'na certa cosa. È quanno sei al punto che 'u coraggio ti veni o non ti veni. Sulo in quel priciso momento sai di che pasta d'omo sei fatto».

Tridicino ci pinsò supra tanticchia. E arrivò alla conclusioni che 'u zù Japichino aviva raggiuni.

«E vabbeni».

«Avvicinati che te lo dico in un oricchio. Arricordati che manco il mari lo devi sintiri».

Tridicino aviva un sulo amico, piscatori macari lui, che di nomi faciva Cosimo Imparato.

Si vidivano davanti alla chiesa la duminica matino e si annavano a viviri un bicchieri di vino 'nzemmula.

Cosimo aviva perso il patre 'n mari e tiniva perciò a carico la matre e 'na soro di nomi 'Ngilina che Tridicino manco accanosciva pirchì le dù fìmmine non niscivano mai di casa.

Cosimo non possidiva un ligno sò, ma travagliava in una delle varche di proprietà di don Sarino Sciabica che a Tridicino non faciva sangue pirchì era un omo pripotenti come a tutti i ricchi, in quanto possidiva sei paranze che gli rinnivano bono assà.

Due

Tano 'na sira, tornanno dalla pisca, dissi che non si sintiva bono. Si annò a corcari e l'indomani a matino sò mogliere l'attrovò morto dintra al letto. E fu accussì che Tridicino, a diciott'anni appena fatti, addivintò capofamiglia.

Era la vigilia di Natale quanno che le varche erano allura allura tutte ritrasute 'n porto dalla pisca, Paolino Siragusa, che cumannava una delle paranze di don Sarino, ma che era macari 'u capo arraccanosciuto di tutta la ciurma delle varche, gli spiò al solito:

«Tridicì, dumani niscemu?».

«Iu non mi catamineria dumani» fu la risposta.

«E pirchì?».

«Ci sarà timpesta».

«Allura dumani tutti 'n libbirtà» fici Siragusa alle ciurme.

Don Sarino, che era arrivato al molo in quel priciso momento, sintì le palore del capo ciurma e dissi friddo friddo:

«Voi dumani niscite lo stisso».

«Ma non lo sintistivu a Tridicino che dissi...» accomenzò a replicari Paolino.

«Tridicino non cumanna supra alle mè varche. E vui doviti fari quello che vi ordino iu».

«Ma dumani non sulo c'è malottempo ma è macari jorno di Natali».

«Natali o non Natali dumani nisciti».

Po' si firmò, si girò e dissi:

«Vi pozzo concidiri di tornari a mezzojorno accussì vi facite la mangiata 'n famiglia».

E senza salutari a nisciuno, votò le spalli e s'alluntanò.

Paolino Siragusa allargò le vrazza, rassignato.

Alle otto del matino del jorno appresso, che le paranze di don Sarino erano nisciute da un tri orate, il mari era addivintato accussì forti che i cavaddruna scavarcavano il vrazzo del porto e passavano da 'na parti all'autra. Caminare contraventu era 'na faticata.

Quanno ammancava picca all'una, proprio 'n cima alla punta del molo di livanti indove che c'era il faro, s'accomenzaro a raccogliri 'na vintina di fìmmine tutte vistute di nìvuro con lo sciallino supra alla testa.

La maggior parti si nni stava muta a taliare l'orizzonti con l'occhi sgriddrati, autre tinivano il rosario 'n mano e prigavano senza palori, cataminanno sulo le labbra.

Erano le fìmmine, matri, soro, mogliere, figlie, dell'aquipaggi delle paranze di don Sarino Sciabica che aspittavano il ritorno delle varche, e chiossà il tempo passava e chiossà le loro facci s'insicchivano, come se la prioccupazioni mangiasse loro la carni.

A un certo punto s'apprisintò macari 'u zù Japichino per portari 'na palora di conforto.

«State carme, Paolino Siragusa lo sapi com'è fatto il mari».

Alle dù di doppopranzo ancora non si vidiva al largo nisciuna paranza di ritorno.

Le fìmmine ora si erano mittute a chiangiri 'n silenzio. Lo stisso zù Japichino scotiva la testa scunsulato.

Arrivò di cursa Tridicino secutato da 'na dicina di marinari delle varche che non erano nisciute.

Tirò sparte a 'u zù Japichino.

«Vossia come la vidi?».

Japichino scotì la testa scunsulato.

«La vio malamenti, Tridicì».

«Macari io».

Si nni stettiro 'na picca 'n silenzio, po' 'u zù Japichino spiò:

«Tu te lo senti il cori di nesciri a darici aiuto?».

«Io sì, ma l'autri piscatori no» arrispunnì Tridicino. «'U mari è troppo grosso e 'u vento troppo forti, hanno raggiuni a diri che è naufragio assicurato».

Fu in quel priciso momento che arrivaro dù fìmmine, una anziana e una picciotta, che a Tridicino erano scanosciute.

Si tinivano abbrazzate, avivano l'occhi sbarrati per lo scanto e non dicivano nenti, le labbra sirrate e trimanti.

«Cu sunno?».

'U zù Japichino le taliò.

«La matre e la soro di Cosimo Imparato, l'amico tò».

Po', tutto 'nzemmula, 'na voci di vecchia attaccò e le sò parole ognuno le sintiva chiare a malgrado che il vento se le pigliava e se le portava luntano pirchì le sapivano stampate a mimoria, era la prighera strema per quelli che 'n mezzo all'acqua furiosa stanno talianno la morti 'n facci:

O granni Diu che cumanni a lu mari,
nui tutti ccà ti stamu a prigari,
dicci ca subito s'avi a carmari,
chista timpesta falla firmari,
ca li criaturi ca sta facenno affucari
sunno tò figli e fannu i marinari...

E l'autre fìmmine chiangenno arrispunnivano 'n coro.

Allura Tridicino non si tenni cchiù, votò le spalli e corrì a pigliare la sò varca.

Il seguito di la storia la contò, quella sira stissa, Paolino Siragusa nella taverna di Gnazio Bonocore:

Fu doppo un tri orate che eravamo 'n mari che io accapii che mai saremmo arrinisciuti ad arrivari alla sicca di Fiacca indove che don Sarino nni aviva cumannato d'annare a piscari.

'U vento cangiava 'n continuazioni, le correnti ora pigliavano un verso ora 'n autro, facivi faticanno cento metri e un attimo appresso nni pirdivi cinquanta.

E po', macari se arrivavamo alla sicca, non era cosa di calari le riti, troppo forti era la correnti sott'acqua.

L'unica era tornari subito 'n porto prima che il timporali s'incaniasse chiossà.

Detti l'ordini e tutte le paranze, che non aspittavano autro, ficiro manopira appresso a mia.

Non avivamo fatto manco cinco miglia che capitò 'na cosa stramma.

'U vento cadì di colpo, i cavaddruna scomparero torno torno a noi, vinni 'mprovisa bonazza.

Però, a distanzia, vidivamo che c'era ancora la timpesta, era sempri furiosa e circunnava completamenti quel pezzo di mari nico nico indove stavano le nostre paranze stritte l'una allato all'autra e indove rignava 'na 'mpressionanti calma piatta.

Aviti prisenti 'n ovo? Nuautri eravamo come il russo dell'ovo 'n mezzo a tutto il bianco ch'era la timpesta.

Stavamo tutti assammarati e sintivamo friddo assà.

La rumorata del mari forti a noi nni arrivava luntana luntana.

Pasquali Straziota, da 'n'autra paranza mi spiò: «Paolì, che facemo?».

«Che voi fari? Non potemo navicari a forza di rimi, troppo è la distanzia. E po', chi ce lo fa fari a trasiri novamenti dintra alla timpesta? Aspittamo ccà ca passa».

Però eravamo tutti nirbùsi, la facenna era veramenti stramma, in trentacinco anni che vaio per mari, mai avivo viduto 'na cosa simili. Era 'mpressionanti, accapivi che non potiva durari, che si trattava di 'na facenna momintania, che di certo la timpesta si sarebbi ripigliata macari quel pezzo di mari.

Tutto 'nzemmula accomenzammo a sintiri che faciva càvudo.

No, non era lo scirocco o il sumun, 'u vento che veni dal diserto, no, non c'era 'n alitu di vento, il calori viniva dal mari.

Mi calai e 'nfilai 'na mano in acqua.

Era addivintata càvuda, come se si stava quadianno al foco di un fornello. Mi si arrizzaro i capilli 'n testa per lo scanto.

Che viniva a significari? Nisciuno si seppi dari 'na spiegazioni.

Tempo dù orate, non sulo i nostri vistiti si erano asciucati, ma 'na poco di piscatori si erano macari livata la cammisa e si nni stavano a petto nudo squasi che fusse 'u misi di austo.

La timpesta continuava sempri a circunnarinni.

Appresso, in un vidiri e svidiri, un gran colpo di vento scancillò la calura e la bonazza, le varche s'arritrovaro novamenti sospise 'n cima a cavaddruna gigantischi, la rumorata della timpesta nn'assordò e la giostra mortali arraccomenzò.

Arripigliammo a governari come meglio potivamo, ma il mari era cchiù arraggiato di prima.

Fu a 'sto punto che vitti la prima dragunara formarisi a un tricento metri dalla nostra prua.

Ci stavamo annanno a sbattiri contro, pirchì iddra si nni stava ferma e firriava supra a se stissa pricisa 'ntifica a 'na trottola, guadagnanno sempri cchiù forza.

Virai a mancina e subito davanti alla prua si nni formò 'n'autra.

A farla brevi, le nostre povire paranze foro circunnate da quattro dragunare, quattro fungi maligni nasciuti all'improvviso, quattro colonne del tempio del dimonio che da un momento all'autro avrebbiro ruinato supra di noi.

Ero morto di scanto, e con mia tutti l'aquipaggi, ma io ancora arriniscivo a raggiunari tanticchia.

Dato che si nni stavano ferme, pinsai, forsi ce l'avremmo fatta a passari tra l'una e l'autra.

Non avivo finuto di fari 'sto pinsero, che le quattro dragunare principiaro a cataminarisi viloci come furmini verso di noi, squasi che si fossiro passata la palora, facenno 'na rumorata di muntagne che franavano.

Eravamo morti, non c'era cchiù nenti di fari.

Muti, nni taliammo l'uno con l'autro, giarni come cataferi.

Fu a 'sto punto che sintii la voci di Cosimo Imparato, agitata e sorprisa, che faciva:

«'Na vela!».

E subito appresso arripitì, squasi non avissi criduto lui stisso a quello che vidiva:

«'Na vela!».

E doppo ancora:

«La varca di Tridicino è!».

Isai l'occhi. L'arraccanoscii macari io, era la sò.

Ma 'nveci d'essiri cuntento, mi sintii stringiri il cori.

Che aiuto potiva darinni?

Che potiva fari, mischino, lui sulo contro a quattro dragunare?

Nenti, era vinuto per moriri con nui.

E di chisto l'arringraziai, abbascianno la testa, 'nginocchiannomi e priganno macari per lui.

Passato un momento, sintii novamenti la voci trionfanti e ammaravigliata di Cosimo.

«La dragunara tagliò!».

Non ci cridii. Com'era possibili? Ancora non sapivo che 'u zù Japichino gli aviva 'mparato l'arti.

Mi susii addritta.

Vero era! Era successo 'u miracolo!

Tridicino aviva tagliato 'na dragunara che ora gli stava cadenno di supra trasformata in tonnellati d'acqua, ma lui si riggiva e faciva voci:

«Viniti verso di mia!».

E intanto girava la vela.

In un lampo, tutte le paranze s'apprecipitaro nel varco aperto dalla dragunara abbattuta, s'attrovaro fora dalla rotta convergenti delle autre tri dragunare che vinniro a scontrarisi e a distruggirisi con una furia tali che il celo stisso trimò nelle sò radici.

Il mari 'n timpesta, 'na vota che fummo fora dal periglio delle dragunare, nni parse 'na cosa da ridiri.

E chisto fu il primo Natali di Tridicino.

«Bravo! Hai viduto che ce l'hai fatta quanno

sei arrivato al punto!» dissi l'indomani 'u zù Japichino a Tridicino.

«Sissi, ma...».

«Dimmi».

«Assà mi scantai».

«È naturali. Che ti cridi? Macari io mi sugno sempri scantato davanti a 'na dragunara».

«Sì» ribattì Tridicino vrigugnoso. «Ma non fino ad arrivari a pisciarisi nei cazùna come capitò a mia».

'U zù Japichino si misi a ridiri. Tridicino s'infuscò.

«No, non arrido pirchì ti sei pisciato» spiegò 'u zù Japichino, «ma pirchì ora sai di che pasta d'omo sei fatto. 'Mpara 'st'autra cosa, Tridicì: cchiù l'omo prova scanto cchiù l'omo piglia coraggio».

Tre

Tri misi appresso la battaglia contro le quattro dragunare, Tridicino si fici zito con ’Ngilina, la soro di Cosimo.

Si fici zito non pirchì è di giusto che un picciotto arrivato a ’na certa età si cerca ’na brava mogliere che gli duna figli, ma pirchì lui di ’Ngilina si nni era ’nnamorato di colpo quel jorno stisso che l’aviva viduta chiangiri sutta al faro.

Anzi, per dirla propio tutta, erano state quelle lagrime a farlo corriri in aiuto dei piscatori.

Po’ si maritaro e ’Ngilina s’arrivilò ’na bona fìmmina di casa, amorusa e sincera, che parlava picca e faticava assà, e arrinisciva sempri a tiniri tutto pulito e in ordini.

Aviva ’na fisima sula: le piacivano le conchiglie e le cchiù belle che le portava Tridicino se le tiniva ’n fila supra al cantarano.

Naturalmenti sò frate Cosimo, che era un bravo piscatori, lassò volanteri di travagliare all’ordini di don Sarino e accittò l’invito di sò cugnato Tridicino di annare a piscari con lui.

Po’, un jorno, Tridicino fici ’na pinsata.

Annò ’n cartoleria e s’accattò un quaterno a quatretti, ’na matita copiativa, ’na matita russa e blu, ’na gumma per scancillari e ’na bussola che sapiva come s’adopirava macari se non l’aviva mai usata.

Lui s’arrigolava col soli e con le stiddre, come gli aviva ’nsignato sò patre Tano.

Quanno tornava dalla pisca, s’assittava davanti al tavolino della cucina col quaterno, le matite, la gumma, la bussola e un calannario che arriportava macari le fasi lunari.

Passava orate ’ntere a tracciari linii colorate supra ai fogli del quaterno, a scancillarle e a rifarle.

«Ma che studdii?» gli spiavano ’Ngilina e Cosimo.

Lui sorridiva e non diciva nenti.

Alla fini di ’na misata di fari disigni, che il primo quaterno non era abbastato e si nni era dovuto accattari ’n autro, ’na sira che stavano mangianno, Tridicino dissi a Cosimo:

«Dumani a matino niscemo un’ura doppo che sunno nisciute tutte le autre varche».

«Pirchì?».

«Pirchì non voglio che vidino la rotta che facemo. Devi ristari sigreta per tutti».

Cosimo strammò.

«Vuoi annare in un posto diverso da quello indove semo sempri annati?».

«Sì».

«E pirchì?» tornò a spiari Cosimo.

«In una matinata 'ntera di travaglio, quanno la fortuna nn'aiuta, arriniscemo a fari dù ritati, è vero o no?».

«Vero è».

«E 'nveci sugno pirsuaso che ci sarebbi un modo per piscari chiossà».

«E come?».

«È da tanto tempo ca penso che i pisci nel mari non navicano ammuzzo, ma seguendo rotte pricise che sunno signate non sulo dalle correnti, ma macari dalle fasi di la luna e dalle maree. Come mai, mi sono addimannato, quanno le correnti sono deboli il pisci è scarso? Ho fatto 'na speci di calannario, spero d'essiri arrinisciuto ad accapire quanno e indove si spostano».

«E se ti sbagliasti?».

«Pacienza. Avremo perso tempo e dinari».

«Mi fai accapiri macari a mia?».

«Certo. Calcolai che al largo di Vigàta avemo dù correnti permanenti e quattro correnti di marea che cangiano di direzioni ogni sei ure e un quarto e dipennino dalle fasi di luna. Doppo un tri orate, 'na correnti di marea raggiungi la sò vilocità massima e in quel punto si venno ad attrovari le maggiori quantità di pisci. Po' la vilocità accomenza a scemari e i pisci l'abbannunano».

All'indumani partero un'ura doppo, è vero, ma tornaro con la varca talmenti china di pisci da pareggiari il piscato di tutte le paranze di don Sarino.

E da quel momento in po' accomenzaro a passarisilla meglio.

Ora, 'na vota alla simana, 'Ngilina potiva accattare la carni. E la duminica passiavano paìsi paìsi vistuti bono.

Un jorno di vento, che era 'n'autra vigilia di Natali, Tridicino con la varca arriparò darrè allo scoglio di Mannarà e ammainò per riposarisi tanticchia.

Era dovuto annare a piscari da sulo pirchì Cosimo si era fatto mali a 'na gamma.

Si stinnicchiò 'n funno e si misi a taliare le nuvoli 'n celo che cangiavano forma e ora parivano un àrbolo d'aulivo, ora un gatto pronto a savutare, ora un cavaddro al galoppo.

Mentri si nni stava accussì, gli parse d'aviri sintuto 'na musica. Come se qualichiduno, vicino, sonasse un flauto di canna.

Ma siccome la cosa non era possibili pirchì non c'erano varche nelle vicinanze, si fici pirsuaso d'aviri strasintuto.

Però, doppo tanticchia, il sono s'arripitì, stavota cchiù forti e cchiù chiaro. Allura Tridicino si susì addritta e taliò torno torno.

C'erano solamenti lui, la varca e lo scoglio.

Mentri che si nni stava ancora a taliare, sintì daccapo il sono e accapì che viniva dall'autra parti dello scoglio, quella opposta a indove s'attrovava la sò varca.

Allura con un sàvuto acchianò supra allo scoglio, s'arrampicò 'n cima, si misi a panza sutta a taliare l'autro lato.

Non c'era nisciuno, ma posata supra allo scoglio ci stava 'na conchiglia enormi, dù vote la testa di un omo, a strisce gialle e marrò, la cchiù bella che avissi mai viduto.

La musica viniva da lei, quanno 'na folata di vento la pigliava in un certo modo di traverso e trasiva e le firriava dintra, produciva 'sta speci di noti che cangiavano sono via via che l'aria, percorrennola tutta, nisciva novamenti fora.

Stetti ancora a sintirla, sorpriso e affatato.

Ma soprattutto pinsanno a quanta contintizza avrebbi provato sò mogliere quanno gliel'avrebbi portata 'n casa.

Se stava a lui, a 'Ngilina le avrebbi voluto arrigalare tutte le meglio cose che c'erano al munno, ma era sulo un poviro piscatori e il dinaro che guadagnava abbastava sì per il mangiari e il vistirisi, ma non certo per accattare cose d'oro e petre priziuse.

Comunqui quella conchiglia maistosa sarebbi stata un billissimo rigalo di Natali. Non potiva lassarla perdiri.

Allungò le vrazza cchiù che potti per agguantarla ma le mano non ci arrivaro, arriniscì sulo a toccarla con le punte delle dita. Perciò dovitti sporgirisi con tutto il corpo in avanti.

E in quel momento, sbilanciato, accomenzò a sciddricare di panza lungo lo scoglio, a testa sutta.

Fici per affirrarisi, ma le mano non facivano presa, attrovavano solamenti lippo virdi, 'na sorta di muschio vagnato e saponoso che formava come una gonna colorata torno torno allo scoglio.

Nella caduta urtò contro la conchiglia che finì a mari, si inchì d'acqua e affunnò con lui, scomparenno in un attimo.

Tridicino riemergì subito, pigliò 'na vuccata d'aria, accapì che la conchiglia si nni era calumata sott'acqua e prontamenti si rituffò.

La doviva riacchiappari a tutti i costi.

Era 'na jornata chiara di soli e la luci del jorno perciò arrivava fino a 'na decina di metri. Ma per quanto taliasse, non arriniscì a vidiri la conchiglia, doviva essiri calata ancora cchiù abbascio, fino ad annarisi a posari supra al funnale.

Ma il funnale a quanti metri s'attrovava?

Non arriniscì ad accapirlo.

Riassumò, si inchì bono i purmuna d'aria, si ricalò.

Superata la zona d'acqua illuminata dal jorno, arrivò in quella parti indove il mari addivintava grigio scuroso squasi quanto il celo doppo il tramonto del soli, continuò a scinniri e po' sintì che non potiva prosecutare, che doviva assoluto assumari in superfici, l'aria che aviva dintra gli sarebbi stata appena bastevoli per tornari a galla.

E fu in quel priciso momento che 'ntravitti, supra a 'na sporgenza della pareti dello scoglio che continuava a sprufunnari fino a pirdirisi nello scuro assoluto, il giallo e il marrò della conchiglia.

'Na dicina di metri cchiù sutta.

Considirò, scoraggiato, che non ce l'avrebbi mai fatta ad arrivari a quella profunnità.

Non potiva fari autro che arrinunziari, a malgrado che quella arrinunzia gli pisassi assà.

Riassumò sintennosi scoppiari i purmuna, le vintate d'aria frisca che gli trasivano dintra al petto glielo facivano doliri di fitte che erano come pugnalate firoci.

Si nni stetti a galleggiari a corpo morto senza aviri la forza di dari 'na vrazzata.

E si sintì addivintato di colpo cchiù poviro.

Pirchì aviva perso 'na ricchizza, la vista di l'occhi sparluccicanti di contintizza di 'Ngilina mentri che avrebbi taliato la maraviglia di quella conchiglia che sarebbi stata sò per sempri.

No, non ci potiva arrinunziari.

Il rigalo che avrebbi fatto a 'Ngilina sarebbi addivintato veramenti 'na cosa priziusa se lui se lo fossi guadagnato a rischio di vita.

Si rituffò, mantinennosi nella scinnuta ranto ranto alla pareti dello scoglio e via via che scinniva dalla pareti niscivano di sorprisa alghe grosse come corde che circavano di firmarlo avvolgennosi con violenza alle gamme e alle vrazza e lui, prima d'arrinesciri a libbirarisinni, pirdiva tempo, forza e resistenzia.

Era come se il mari volissi addifinniri la conchiglia.

Ma Tridicino non aviva nisciuna 'ntinzioni d'arrinnirisi, aviva davanti a lui l'immagini dell'occhi sparluccicanti di contintizza di 'Ngilina che gli dava coraggio.

Quanno ancora mancavano cinco metri scarsi per arrivari alla conchiglia vitti nella pareti un granni pirtuso nìvuro, di sicuro la trasuta d'una grutta sutt'acqua dalla quali stava niscenno un purpo enormi, scantuso, ogni tintacolo era dù vote cchiù longo di lui.

«Con tia me la vio 'n autro jorno» dissi col pensiero alla vestia.

Fu viloci chiossà del purpo, agguantò la conchiglia e, tinennola con una mano, accomenzò la risalita.

Però accussì potiva adoprari un sulo vrazzo per darisi la spinta verso l'alto epperciò la sò acchianata sarebbi stata cchiù lenta del solito. Era 'na cosa che non aviva considerato.

Non sulo, ma dovitti allontanarisi dalla pareti pirchì novamenti l'alghe circavano d'agguantarlo cchiù forti di prima, approfittannosi della sò dibolizza per obbligarlo a lassari la conchiglia.

Quanno dal grigio passò al mari cilestrino, e gli parse che ci aviva 'mpiegato 'n'eternità, isò l'occhi a taliare quanto ammancava per arrivari alla superfici.

A 'na dicina di metri d'altizza c'era come 'na lastra di luci abbaglianti, era il soli che s'arriflittiva supra all'acqua.

Oltri quella lastra, ci stava l'aria tanto addisidirata, tanto suspirata.

Pinsò che forsi non ce l'avrebbi mai fatta. Che forsi quella lastra avrebbi cummigliato la sò tomba marina.

Il vrazzo col quali si dava la spinta era addivintato pisanti come un ramo d'àrbolo morto, nell'ocricchi a ogni battito del cori gli arrivavano martellati duluruse, sintiva d'aviri al posto dei purmuna dù palluna di picciliddri pronti a scoppiari.

Arriflittì che se abbannunava la conchiglia, natanno con dù vrazza sarebbi stato cchiù viloci. Ma se arrinunziava al rigalo per 'Ngilina ogni fatica che aviva fatta sarebbi stata inutili, persa.

Po', e non lo seppi manco lui come aviva fatto, accapì d'essiri arrinisciuto a risaliri 'n superfici.

Si lassò portari dalla correnti fino allo scoglio e

ristò a longo senza potirisi cataminare, con l'occhi chiusi, tra lui e un morto annigato non c'era nisciuna differenzia.

Doppo tanticchia, avvirtì qualichi cosa di càvudo supra alla vucca. Raprì l'occhi, taliò. Stava pirdenno sangue dal naso.

E 'na guccia che aviva pigliato la forma di 'na rosa era caduta supra alla conchiglia.

Quattro

Quanno che si sintì cchiù 'n forzi, acchianò supra alla varca e s'addiriggì verso il porto.

Mentri navicava, pigliò la conchiglia e l'accomenzò a puliziari a mari.

Voliva fari scompariri la macchia di sangue a forma di rosa.

Ma per quanto la strufiniasse con un pezzo di petra pomicia, la macchia non si nni ghiva, anzi addivintava sempri cchiù come se ci fusse sempri stata. Alla fini, lassò perdiri.

«Talè che rigalo che ti portai» fici Tridicino posanno supra al tavolino della cucina la conchiglia arravugliata dintra a un pezzo di pezza.

'Ngilina la sbrugliò con sdilicatizza e appena che comparse la conchiglia si misi a fari sàvuti di gioia.

«Maria, quant'è beddra! E 'sta rosa pare pittata!».

Po' abbrazzò stritto stritto a Tridicino e gli dissi: «Macari io aio un rigalo di Natali per tia».

«E unn'è?».

«Cercalo» fici 'Ngilina arridenno.

Senza perdiri tempo, Tridicino si misi a taliare sutta al letto, supra al cantarano, dintra al mobili indove tinivano le cose di mangiari, tra le casuzze del prisepio, ma non attrovò nenti.

«M'arrenno» fici alla fini. «Dimmillo tu».

«Io non te lo dico» dissi 'Ngilina arridenno chiossà.

Tridicino fici per aggramparla e lei si nni scappò. Tridicino l'assicutò 'n càmmara di dormiri e l'affirrò. Ma 'nvece di spiarle indove era il rigalo, la vasò. 'Ngilina ricambiò la vasata.

Cchiù tardo, mentri si nni stavano stinnicchiati supra al letto, e Tridicino aviva la sò testa appuiata supra alla panza di 'Ngilina, lui tornò alla carrica.

«Me lo dici indove teni ammucciato il rigalo?».

«Sutta alla tò testa» arrispunnì 'Ngilina ripiglianno a ridiri.

«Che veni a diri?» spiò lui 'mparpagliato.

«Veni a diri che aspetto».

E prima che Tridicino potissi arreplicari, lei dissi:

«Senti la conchiglia».

Fora dal balconi, la conchiglia faciva un sono diverso da quello che aviva sintuto supra allo scoglio, era 'na musica allegra di festa.

E chisto fu il secunno Natali di Tridicino.

Quanno la criatura nascì e si vitti che era masco-lo, addecidero di chiamarlo Tano, come il patre di Tridicino.

Il jorno stisso del vattìo del picciliddro, Cosimo annunziò a sò soro e a sò cugnato che si era fatto zito con una picciotta che s'acchiamava 'Ntonia.

Appena che sintì la nova, Tridicino arriflittì che il guadagno del piscato jornalero non sarebbi ab-bastato per tutti e che abbisognava strumentiari qualichi cosa per fari trasire cchiù dinaro 'n casa.

Ma per quanto si sforzava, non gli viniva nisciu-na idea 'n testa.

'Na matina di malottempo che non era cosa di nesciri e Tridicino tambasiava casa casa, notò che la conchiglia non stava cchiù nel posto indo-ve 'Ngilina l'aviva mittuta.

Po' la sintì sonari.

Guidato dal sono, annò a rapriri il balconi. 'Ngi-lina l'aviva assistimata lì fora, supra a 'na cascia di ligno, e l'aviva contornata con un pezzo di riti 'n modo che il vento non la facissi sbattuliare.

«La sò musica mi teni compagnia» gli spiegò cchiù tardo 'Ngilina. «E quanno tu sei fora a piscari, è come se fusse la tò voci a parlarimi».

Fu il sono della conchiglia che gli fici tornari a men-ti la promissa fatta l'anno prima al purpo giganti che nisciva dalla grutta che c'era nella pareti sott'acqua dello scoglio di Mannarà. Aviva arrimannato la sfida tra loro dù a 'n autro jorno e abbisognava rispittari la parola.

Ma allo scoglio doviva annarici sulo, pirchì quella era 'na facenna pirsonali tra lui e la vestia.

Epperciò 'na matina di vigilia di Natali che Cosimo non potti nesciri con lui pirchì aviva 'na poco di facenne da sbrigari, Tridicino misi la prua verso lo scoglio di Mannarà.

Prima di calarisi sott'acqua con le sule mutanne, si nni stetti a longo a respirari circanno, a ogni tirata di sciato, di fari trasiri sempri cchiù aria dintra ai purmuna.

Appena che si sintì pronto, si misi tra i denti 'u cuteddro che tiniva nella varca per ogni nicissità, s'arrutuliò torno torno alla vita 'na corda che cummigliò con un pezzo di tila bianca, e po' si tuffò. Stavota però, alla prima alga che scattò dalla pareti per agguantarlo e firmarlo nella scinnuta, replicò affirranno 'u cuteddro e tagliannola con un sulo colpo netto. Da quel momento, squasi che si fussero scantate, l'autre alghe non si cataminaro. Perciò la sò discisa fu cchiù viloci assà della prima vota.

Arrivato all'altizza della trasuta della grutta suttamarina, non ci si 'nfilò subito, si scantava che il purpo giganti l'aspittava allo scuro.

Stetti tanticchia a passari e a ripassari davanti alla trasuta, spiranno che il purpo, attirato dal bianco della pezza, viniva fora, pirchì sapiva che qualisisiasi cosa bianca è per 'u purpo come la pezza russa per il toro. Po', visto che non capitava nenti, pinsò che 'u purpo era fora a procurarisi il mangiari e quindi potiva trasire dintra alla grutta. Lo fici e s'attrovò nello scuro cchiù fitto. Per quanto circasse d'abituari l'occhi, sempri nìvuro vidiva. Era tempo perso stari ddrà. Stava per nisciri-sinni fora quanno gli parse di vidiri 'na splapita luminosità luntana.

E d'unni viniva 'sta luci? La curiosità fu cchiù forti del periglio che corriva natanno alla cieca. Pigliò ad addiriggirisi verso la chiarìa e mentri che avanzava accapiva che la grutta acchianava all'interno dello scoglio. Po', tutto 'nzemmula, s'attrovò con la testa fora dell'acqua e coi pedi che toccavano il funno. Avanzò di tri passi ancora 'n salita, e arrivò a 'na spiaggiuzza nica nica, fatta non di rina, ma di migliara di scorci di conchiglie frantumate e indove ci si vidiva bastevolmenti.

La luci viniva da un pirtuso largo 'na trentina di centilimetri, 'na speci di fumarolo scavato dalla natura stissa dintra alla roccia, che si partiva dal tetto della grutta e arrivava fino alla cima dello scoglio. Fu accussì che vitti, appuiati in un angolo della spiaggiuzza, dù bummuli antichi, nìvuri, ma addisignati di figure bianche. Il cori gli si misi a battiri forti, forsi aviva attrovato il tisoro dei pirati del quali tutti parlavano, capace che i dù bummuli erano chini di monite d'oro. Ne pigliò uno, lo sollivò e provò 'mmidiata la sdillusioni di sintirlo vacante. Macari dintra al secunno non c'era nenti. Comunqui addecidì di pigliarisilli lo stisso, erano un bellissimo rigalo di Natali per 'Ngilina.

Nisciuto fora dalla grutta s'addunò che del purpo non c'era manco l'ùmmira, capace che aviva arrinunziato al duello, epperciò si nni potti tornari filato alla varca.

La matina appresso che era Natali e Tridicino era nisciuto per accattari cosi duci per la mangiata, 'Ngilina pigliò i dù bummuli e li misi fora di casa, sulla strata, appuiati 'n terra allato alla porta, per farli asciucari al soli e si nni ristò a taliarli.

Uno rapprisintiva 'na beddra fìmmina stinnicchiata nuda supra a 'na speci di letto che tiniva un grosso cigno 'n mezzo alle gamme ed era chiaro che stava facenno cose vastase con l'armàlo mentri che torno torno a lei autre fìmmine vistute con un linzolo addrumavano 'ncensi o priparavano cose di mangiari. Nell'autro era addisignato un firoci cummattimento di guerrieri 'na poco nudi con la minchia di fora e 'n'autra poco con l'armatura e si vidivano morti con la testa tagliata e cataferi con la panza aperta.

No, non era cosa di tinirisilli 'n casa quei dù bummuli. Il primo a 'Ngilina la faciva vrigugnare, il secunno la faciva scantare. Mentri che stava a pinsari a come diri la cosa a sò marito, 'na voci alle sò spalli dissi:

«Signora, mi scusi, ma queste anfore sono in vendita?».

Si votò. A parlari era stato don Sciaverio Cosentino, uno che faciva l'inteppetre per i 'nglisi che vinivano a visitari i tempii di Montelusa. 'Nfatti aviva allato a un signori vistuto come si vistivano tutti i 'nglisi.

«Sì» arrispunnì senza arriflittirici un momento.

Fu accussì che il bono stari trasì 'n quella casa.

E chisto fu il terzo Natali di Tridicino.

Col dinaro dello 'nglisi, che era assà, Tridicino detti la sò varca a Cosimo pirchì ci abbadassi lui, si nni accattò 'na secunna, bella grossa, e ci misi a capo ciurma a Paolino Siragusa che non voliva cchiù stari all'ordini di don Sarino, e si nni fici fari 'na terza, spieganno a don Manueli Bordò, 'u meglio mastro d'ascia di Vigàta, come gliela doviva fabbricari.

E don Manueli fici un capolavoro, 'na varca di picca cchiù stritta delle solite e tanticchia cchiù longa, liggera ma capiente, e accussì viloci che pariva volari supra all'acqua.

Alla figlia fìmmina che vinni dù anni doppo Tano ci misiro il nomi della madre di 'Ngilina che 'ntanto era morta, Brigida. Il nomi del secunno figlio mascolo fu Stillario, lo stisso del nonno di Tridicino.

Po' a Stillario, che manco aviva un anno, ci vinni la fevri forti e la tussi.

Allura 'Ngilina vosi che 'u picciliddro dormissi con loro nel letto granni.

'Na notti Tridicino sintì chiangiri a sò mogliere e s'arrisbigliò. Il picciliddro tussiva.

«Che fu?».

«Ascuta la conchiglia».

Tridicino la sintì e aggilò. Stava facenno un sono accussì lamintioso che stringiva 'u cori.

Stillario morse dù jorni appresso.

Passaro l'anni.

A Tano lo ficiro studdiare, avivano mittuto il dinaro sparte proprio per mannarlo a scola e lui studdiò e po' volli pigliari la carrera militari, 'mbarcato come ufficiali nelle navi di guerra.

Brigida 'nveci si fici zita a sidici anni con Liborio Stella, un bravo picciotto che sò patre aviva dù paranze, e dù anni appresso si maritò.

Macari Stefano, 'u primo figlio di Brigida, nascì 'n mari.

E da come 'mparò a tri anni a natare, tutti si capacitaro che sarebbi stato un novello Tridicino. E 'nfatti, quanno che fici deci anni, non ci fu verso:

«Voglio annare nella varca del nonno».

Acchianò nella varca di Tridicino e non volli scinniri cchiù. E tanto fici e tanto dissi che ottinni il primisso di stari a mangiari e a dormiri coi nonni.

"La vita" pinsò Tridicino "è come la risacca: un jorno porta a riva un filo d'alga e il jorno appresso se lo ripiglia".

E subito doppo fici 'n autro pinsero.

Ora che gli aviva portato 'sto gran rigalo, cosa si sarebbi ripigliata in cangio l'onda di risacca?

La risposta alla dimanna l'ebbi sei anni appresso, quanno tornanno con Stefano dalla pisca, attrovò a 'Ngilina caduta 'n terra 'n cucina che non potiva manco parlari e 'nveci di respirari rantuliava. Il medico la fici portari allo spitali di Montelusa, ma non ci fu nenti da fari.

Tridicino volli che dintra al tabbuto vinissi mittuta macari la conchiglia che sonava. Le avrebbi tinuto compagnia.

Con la morti di 'Ngilina, Tridicino accapì d'essiri arrivato alla vicchiaia. E non se la sintì cchiù di annari a piscari. La sò bella varca la consignò a Stefano che a mari era addivintato bravo quanto lui.

Passava le jornate al molo a taliare le varche che trasivano e niscivano dal porto.

«Ma che vita è oramà la mè?» si spiava spisso.

Vita 'nutili, vita a mità. Pirchì mità della sò esistenzia si era già persa con la morti di 'Ngilina. Si sintiva come a certi pisci che si tagliano a mezzo e che continuano a cataminarisi per un pezzo puro essenno già morti.

La matina di quello che sarebbi stato cognito come il quarto Natali, Tridicino s'arrisbigliò e seppi quello che doviva fari. Si fici 'mpristari un caicco, si nni partì e a forza di rimi, doppo quattro ure di voca che ti rivoca, arrivò allo scoglio di Mannarà. Si spogliò, si lassò le mutanne, s'avvolgì 'na corda torno torno ai scianchi, la cummigliò con una pezza bianca e si misi 'u cuteddro fra i denti.

Era ancora vivo quel purpo giganti? Si augurò con tutto il cori che fusse il purpo a vinciri il duello. E comunqui sapiva che, 'na vota scinnuto 'n profunnità, non ce l'avrebbi fatta mai cchiù a riassumare 'n superfici, era troppo vecchio, i purmuna assà malannati.

Stava per tuffarisi quanno s'apparalizzò. C'era 'na musica. Possibili che supra allo scoglio ci stava 'n'autra conchiglia che sonava pricisa 'ntifica a quella che tanti e tanti anni passati aviva arrigalato a 'Ngilina?

Dalla varca s'arrampicò fino alla cima dello scoglio, si misi a panza sutta, taliò. Non c'era nisciuna conchiglia, doviva aviri strasintuto.

In primisi non vitti nenti.

Po' talianno meglio s'addunò che dintra a un pirtuso dello scoglio ci stava 'na conchiglia pricisa 'ntifica alla sò ma tanticchia cchiù nica e con una macchia russa a forma di rosa propio 'n mezzo.

«D'accordo, 'Ngilì» dissi Tridicino con la voci che gli trimava.

Tornò nella varca e principiò a vociari verso il porto. E mentri rimava, pinsava a quante cose aviva ancora da fari. La prima di tutte, 'mparari a Stefano come si faciva a tagliari la dragunara.

Notizia

Questo volume comprende due racconti inediti, «La prova» e «La guerra privata di Samuele, detto Leli».

Le altre storie sono state scritte in tempi diversi e pubblicate dal 2008 al 2016.

In particolare:

«La tripla vita di Michele Sparacino» in allegato al «Corriere della Sera», 2008 e Rizzoli, 2009;

«L'uomo è forte» nell'antologia *Articolo 1. Racconti sul lavoro*, Sellerio, 2009;

«La targa» in allegato al «Corriere della Sera», 2011 e Rizzoli, 2015;

«I quattro Natali di Tridicino» nell'antologia *Storie di Natale*, Sellerio, 2016.

Indice

Questo volume è stato stampato
su carta Arena Ivory Smooth
delle Cartiere Fedrigoni
nel mese di novembre 2022
presso la Leva srl - Milano
e confezionato
presso IGF s.p.a. - Aldeno (TN)

La memoria

Ultimi volumi pubblicati

1101 Andrea Camilleri. Il metodo Catalanotti
1102 Giampaolo Simi. Come una famiglia
1103 P. T. Barnum. Battaglie e trionfi. Quarant'anni di ricordi
1104 Colin Dexter. La morte mi è vicina
1105 Marco Malvaldi. A bocce ferme
1106 Enrico Deaglio. La zia Irene e l'anarchico Tresca
1107 Len Deighton. SS-GB. I nazisti occupano Londra
1108 Maksim Gor'kij. Lenin, un uomo
1109 Ben Pastor. La notte delle stelle cadenti
1110 Antonio Manzini. Fate il vostro gioco
1111 Andrea Camilleri. Gli arancini di Montalbano
1112 Francesco Recami. Il diario segreto del cuore
1113 Salvatore Silvano Nigro. La funesta docilità
1114 Dominique Manotti. Vite bruciate
1115 Anthony Trollope. Phineas Finn
1116 Martin Suter. Il talento del cuoco
1117 John Julius Norwich. Breve storia della Sicilia
1118 Gaetano Savatteri. Il delitto di Kolymbetra
1119 Roberto Alajmo. Repertorio dei pazzi della città di Palermo
1120 Andrea Camilleri, Gian Mauro Costa, Alicia Giménez-Bartlett, Marco Malvaldi, Dominique Manotti, Santo Piazzese, Francesco Recami, Gaetano Savatteri. Una giornata in giallo
1121 Giosuè Calaciura. Il tram di Natale
1122 Antonio Manzini. Rien ne va plus
1123 Uwe Timm. Un mondo migliore
1124 Franco Lorenzoni. I bambini ci guardano. Una esperienza educativa controvento
1125 Alicia Giménez-Bartlett. Exit
1126 Claudio Coletta. Prima della neve
1127 Alejo Carpentier. Guerra del tempo
1128 Lodovico Festa. La confusione morale

1129 Jenny Erpenbeck. Di passaggio
1130 Alessandro Robecchi. I tempi nuovi
1131 Jane Gardam. Figlio dell'Impero Britannico
1132 Andrea Molesini. Dove un'ombra sconsolata mi cerca
1133 Yokomizo Seishi. Il detective Kindaichi
1134 Ildegarda di Bingen. Cause e cure delle infermità
1135 Graham Greene. Il console onorario
1136 Marco Malvaldi, Glay Ghammouri. Vento in scatola
1137 Andrea Camilleri. Il cuoco dell'Alcyon
1138 Nicola Fantini, Laura Pariani. Arrivederci, signor Čajkovskij
1139 Francesco Recami. L'atroce delitto di via Lurcini. Commedia nera n. 3
1140 Gian Mauro Costa, Marco Malvaldi, Santo Piazzese, Francesco Recami, Alessandro Robecchi, Gaetano Savatteri, Giampaolo Simi, Fabio Stassi. Cinquanta in blu. Otto racconti gialli
1141 Colin Dexter. Il giorno del rimorso
1142 Maurizio de Giovanni. Dodici rose a Settembre
1143 Ben Pastor. La canzone del cavaliere
1144 Tom Stoppard. Rosencrantz e Guildenstern sono morti
1145 Franco Cardini. Lawrence d'Arabia. La vanità e la passione di un eroico perdente
1146 Giampaolo Simi. I giorni del giudizio
1147 Katharina Adler. Ida
1148 Francesco Recami. La verità su Amedeo Consonni
1149 Graham Greene. Il treno per Istanbul
1150 Roberto Alajmo, Maria Attanasio, Giosuè Calaciura, Davide Camarrone, Giorgio Fontana, Alicia Giménez-Bartlett, Antonio Manzini, Andrea Molesini, Uwe Timm. Cinquanta in blu. Storie
1151 Adriano Sofri. Il martire fascista. Una storia equivoca e terribile
1152 Alan Bradley. Il gatto striato miagola tre volte. Un romanzo di Flavia de Luce
1153 Anthony Trollope. Natale a Thompson Hall e altri racconti
1154 Furio Scarpelli. Amori nel fragore della metropoli
1155 Antonio Manzini. Ah l'amore l'amore
1156 Alejo Carpentier. L'arpa e l'ombra
1157 Katharine Burdekin. La notte della svastica
1158 Gian Mauro Costa. Mercato nero
1159 Maria Attanasio. Lo splendore del niente e altre storie
1160 Alessandro Robecchi. I cerchi nell'acqua
1161 Jenny Erpenbeck. Storia della bambina che volle fermare il tempo
1162 Pietro Leveratto. Il silenzio alla fine
1163 Yokomizo Seishi. La locanda del Gatto nero
1164 Gianni Di Gregorio. Lontano lontano
1165 Dominique Manotti. Il bicchiere della staffa
1166 Simona Tanzini. Conosci l'estate?
1167 Graham Greene. Il fattore umano

1168 Marco Malvaldi. Il borghese Pellegrino
1169 John Mortimer. Rumpole per la difesa
1170 Andrea Camilleri. Riccardino
1171 Anthony Trollope. I diamanti Eustace
1172 Fabio Stassi. Uccido chi voglio
1173 Stanisław Lem. L'Invincibile
1174 Francesco Recami. La cassa refrigerata. Commedia nera n. 4
1175 Uwe Timm. La scoperta della currywurst
1176 Szczepan Twardoch. Il re di Varsavia
1177 Antonio Manzini. Gli ultimi giorni di quiete
1178 Alan Bradley. Un posto intimo e bello
1179 Gaetano Savatteri. Il lusso della giovinezza
1180 Graham Greene. Una pistola in vendita
1181 John Julius Norwich. Il Mare di Mezzo. Una storia del Mediterraneo
1182 Simona Baldelli. Fiaba di Natale. Il sorprendente viaggio dell'Uomo dell'aria
1183 Alicia Giménez-Bartlett. Autobiografia di Petra Delicado
1184 George Orwell. Millenovecentottantaquattro
1185 Omer Meir Wellber. Storia vera e non vera di Chaim Birkner
1186 Yasmina Khadra. L'affronto
1187 Giampaolo Simi. Rosa elettrica
1188 Concetto Marchesi. Perché sono comunista
1189 Tom Stoppard. L'invenzione dell'amore
1190 Gaetano Savatteri. Quattro indagini a Màkari
1191 Alessandro Robecchi. Flora
1192 Andrea Albertini. Una famiglia straordinaria
1193 Jane Gardam. L'uomo col cappello di legno
1194 Eugenio Baroncelli. Libro di furti. 301 vite rubate alla mia
1195 Alessandro Barbero. Alabama
1196 Sergio Valzania. Napoleone
1197 Roberto Alajmo. Io non ci volevo venire
1198 Andrea Molesini. Il rogo della Repubblica
1199 Margaret Doody. Aristotele e la Montagna d'Oro
1200
1201 Andrea Camilleri. La Pensione Eva
1202 Antonio Manzini. Vecchie conoscenze
1203 Lu Xun. Grida
1204 William Lindsay Gresham. Nightmare Alley
1205 Colin Dexter. Il più grande mistero di Morse e altre storie
1206 Stanisław Lem. Ritorno dall'universo
1207 Marco Malvaldi. Bolle di sapone
1208 Andrej Longo. Solo la pioggia
1209 Andrej Longo. Chi ha ucciso Sarah?
1210 Yasmina Khadra. Le rondini di Kabul
1211 Ben Pastor. La Sinagoga degli zingari

1212 Andrea Camilleri. La prima indagine di Montalbano
1213 Davide Camarrone. Zen al quadrato
1214 Antonio Castronuovo. Dizionario del bibliomane
1215 Karel Čapek. L'anno del giardiniere
1216 Graham Greene. Il terzo uomo
1217 John Julius Norwich. I normanni nel Sud. 1016-1130
1218 Alicia Giménez-Bartlett, Andrej Longo, Marco Malvaldi, Antonio Manzini, Santo Piazzese, Francesco Recami, Alessandro Robecchi, Gaetano Savatteri, Giampaolo Simi, Fabio Stassi, Simona Tanzini. Una settimana in giallo
1219 Stephen Crane. Il segno rosso del coraggio
1220 Yokomizo Seishi. Fragranze di morte
1221 Antonio Manzini. Le ossa parlano
1222 Hans von Trotha. Le ultime ore di Ludwig Pollak
1223 Antonia Spaliviero. La compagna Natalia
1224 Gaetano Savatteri. I colpevoli sono matti. Quattro indagini a Màkari
1225 Lu Xun. Esitazione
1226 Marta Sanz. Piccole donne rosse
1227 Susan Glaspell. Una giuria di sole donne
1228 Alessandro Robecchi. Una piccola questione di cuore
1229 Marco Consentino, Domenico Dodaro. Madame Vitti
1230 Roberto Alajmo. La strategia dell'opossum
1231 Alessandro Barbero. Poeta al comando
1232 Giorgio Fontana. Il Mago di Riga
1233 Marzia Sabella. Lo sputo
1234 Giosuè Calaciura. Malacarne
1235 Giampaolo Simi. Senza dirci addio
1236 Graham Greene. In viaggio con la zia
1237 Daria Galateria. Il bestiario di Proust
1238 Francesco Recami. I killer non vanno in pensione
1239 Andrea Camilleri. La coscienza di Montalbano
1240 Roberto Alajmo, Andrej Longo, Marco Malvaldi, Antonio Manzini, Francesco Recami, Alessandro Robecchi, Gaetano Savatteri, Fabio Stassi. Una notte in giallo
1241 Dominique Manotti. Marsiglia '73
1242 Claudio Coletta. In tua assenza
1243 Andrej Longo. Mille giorni che non vieni
1244 Alan Bradley. Le trecce d'oro dei defunti
1245 Emilienne Malfatto. Il lamento del Tigri
1246 Antonio Manzini. La mala erba
1247 Nicola Schicchi. Via Polara n. 5
1248 Roberto Alajmo. Notizia del disastro
1249 Jenny Erpenbeck. Il libro delle parole
1250 Marco Malvaldi, Samantha Bruzzone. Chi si ferma è perduto
1251 John Julius Norwich. Il regno nel sole. 1130-1194